O invencível verão de Liliana

Cristina Rivera Garza

O invencível verão de Liliana

TRADUÇÃO
Silvia Massimini Felix

autêntica contemporânea

Título original: *El invencible verano de Liliana*

EDITORA RESPONSÁVEL
Ana Elisa Ribeiro

EDITORA ASSISTENTE
Rafaela Lamas

REVISÃO
Marina Guedes

CAPA
Alles Blau

ILUSTRAÇÃO DE CAPA
Maria Conejo, sem título (Shadow Series), 2019

DIAGRAMAÇÃO
Juliana Sarti

Dados Internacionais de Catalogação na Publicação (CIP)
(Câmara Brasileira do Livro, SP, Brasil)

Rivera Garza, Cristina

O invencível verão de Liliana / Cristina Rivera Garza ; tradução Silvia Massimini Felix. -- Belo Horizonte : Autêntica Contemporânea, 2022.

Título original: El invencible verano de Liliana.

ISBN 978-65-5928-171-8

1. Romance mexicano I. Felix, Silvia Massimini. II. Título.

22-120900 CDD-86

Índices para catálogo sistemático:
1. Romances : Literatura mexicana 863

Eliete Marques da Silva - Bibliotecária - CRB-8/9380

A **AUTÊNTICA CONTEMPORÂNEA** É UMA EDITORA DO **GRUPO AUTÊNTICA** 

Belo Horizonte
Rua Carlos Turner, 420
Silveira . 31140-520
Belo Horizonte . MG
Tel.: (55 31) 3465 4500

São Paulo
Av. Paulista, 2.073 . Conjunto Nacional
Horsa I . Sala 309 . Cerqueira César
01311-940 . São Paulo . SP
Tel.: (55 11) 3034 4468

www.grupoautentica.com.br
SAC: atendimentoleitor@grupoautentica.com.br

E, no meio de um inverno, finalmente aprendi
que havia dentro de mim um invencível verão.

Albert Camus

I

AZCAPOTZALCO

O tempo cura tudo, exceto as feridas.

Chris Marker, *Sem sol*

["aqui, sob este galho, podes falar de amor"]

Estamos sob uma árvore cheia de pássaros invisíveis. A princípio penso que deve ser um olmo – tem o mesmo tronco robusto e solitário do qual saem alguns ramos espigados que eu reconheço desde minha infância –, mas logo, apenas alguns dias depois, torna-se claro para mim que é um álamo, uma daquelas árvores transplantadas há muito tempo para essa área da cidade onde não existe muita vegetação nativa. Ali, sob sua copa, na beira do banco pintado de amarelo, nos sentamos. A tarde começa a cair. Do outro lado da pesada cerca de ferro, erguem-se as torres cinzentas das fábricas e os pesados cabos de luz se arqueiam, quase horizontais. Os trailers passam em alta velocidade, assim como os táxis e os veículos de passeio. As bicicletas. Dentre todos os ruídos da tarde, o dos pássaros é o mais inesperado. O menos provável. Tenho a impressão de que, se ultrapassarmos a circunferência que delimita a folhagem, não poderemos mais ouvi-los. "*Aquí, bajo esta rama, puedes hablar de amor. Más allá es la ley, es la necesidad, la pista de la fuerza, el coto del terror. El feudo del castigo. Más allá, no.*"[1] Mas nós os ouvimos e, de

[1] Do poema "Límite", de Rosario Castellanos: "Aqui, sob este galho, podes falar de amor. Mais além é a lei, é a necessidade, a pista da força, o cerco do terror. O feudo do castigo. Mais além, não". (N. T.)

alguma maneira absurda, talvez de uma maneira tola, seu canto repetitivo e insistente, seu canto único, seu canto ao mesmo tempo pacífico e enorme, às vezes desesperado e ardente, às vezes muito real ou muito leve, produz uma calma que não consegue afastar a incredulidade. Você acha que ela vem?, pergunto a Sorais enquanto ela acende um cigarro. A advogada? Sim, ela. Eu nunca soube como nomear o movimento dos lábios quando, sem tentar abri-los, eles se estendem para um dos extremos superiores da face, decompondo-a, subtraindo-lhe a ilusão de simetria. Estamos tão perto de chegar lá, diz em resposta, cuspindo uma fibra de tabaco. Não custa nada esperar meia hora. Na verdade, fiz essa pergunta porque evitei pedir-lhe sem rodeios que esperasse. Implorar é o verbo. Eu não queria implorar. Não queria implorar que esperasse mais um pouco aqui, comigo. Porque não sei se posso ou vou conseguir, Sorais. Porque não sei que animal estou libertando dentro de mim. Já estamos há seis horas e vinte minutos nessa jornada que começou ao meio-dia, no que agora parece ter sido outra cidade, outra era geológica, outro planeta.

[vinte e nove anos, três meses, dois dias]

Uma cerca branca ladeada por buganvílias e trepadeiras. Uma passagem de cascalho envelhecido. Palmeiras. Roseiras. Essa grande casa de portas ovaladas e altos tetos brancos com piso em mosaico verde, um verde de maiólica. Combinamos de nos encontrar por volta do meio-dia e, enquanto espero por ela com um tanto de ansiedade e outro de agitação, não tiro os olhos da cidade do outro lado das janelas. É capaz de acolher qualquer pessoa, essa cidade. Também é capaz de matar qualquer pessoa. Pródiga e prejudicial ao mesmo tempo, cumulativa, estrondosa. Os adjetivos não dão conta dela. Quando Sorais chega à casa em que estou hospedada nesses poucos dias de outono na Cidade do México, não sei se vou conseguir.

Tenho duas coisas para fazer hoje, digo logo depois do abraço e dos cumprimentos exigidos ou recomendados pelo fato de não nos vermos há muito tempo. O cheiro de sabonete. A umidade da pele depois do banho. A voz que conheço há muito tempo. Bem, vamos lá, ela responde sem nem perguntar para onde. O cabelo solto. A mochila vermelha nas costas. O sorriso, surpreendente. Pode levar o dia todo, aviso. E é então que ela faz uma pausa. Procura meus olhos. Então, aonde vamos? O tom de voz é de expectativa, e não de desconfiança. Fico em silêncio. Às vezes é necessário um pouco de silêncio para que as palavras se juntem todas na língua e, uma vez reunidas, se atrevam a saltar ao mesmo tempo. À Procuradoria-Geral da Cidade do México, perto do Centro. Ela também fica em silêncio por um momento e presta atenção. Esclareço que há cerca de três semanas, numa viagem anterior à capital, John Gibler, o jornalista, me ajudou a iniciar os trâmites de busca do processo de minha irmã. Sorais olha para baixo, e então tenho certeza de que ela sabe. E que entende. Depois de pesquisar nos jornais da época, John encontrou a notícia que apareceu no *La Prensa*. Em seguida, conseguiu entrar em contato com Tomás Rojas Madrid, o jornalista da imprensa sensacionalista que escreveu uma série de quatro artigos num tom que, surpreendentemente, evitou o espetáculo e o matiz escandaloso. E eu vim, digo a ela, continuo dizendo a ela, para me encontrar com os dois jornalistas e irmos juntos do Café La Habana, onde tínhamos combinado de nos encontrar, até o edifício da Procuradoria-Geral da Cidade do México, para deixar ali uma petição. Como se escreve uma petição como essa? Onde se ensinam os protocolos de solicitação de um documento dessa natureza? "3 de outubro de 2019. Cidade do México. Sra. Ernestina Godoy Ramos. Procuradora de Justiça da Cidade do México. Por meio da presente, a abaixo assinada, Cristina Rivera Garza, escreve na qualidade de parente de LILIANA RIVERA GARZA, assassinada em 16 de julho de 1990 na Cidade do México (rua Mimosas, nº 658, colônia Pasteros, demarcação Azcapotzalco). Escrevo para solicitar uma cópia integral do processo de investigação que na ocasião correspondia *à ata* do Ministério Público: 40/913/990-07. Caso necessite de mais informações, por favor, não hesite em me contatar nos seguintes endereços. Atenciosamente." Há uma possibilidade remota de recuperar o processo, esclareço a Sorais, depois de tantos anos. Vinte e nove, acrescento, vinte e nove anos, três meses e dois dias. Fico em silêncio de novo. As coisas são tão difíceis às vezes. Mas eles ficaram de me dar uma resposta ainda hoje.

[a irmã mais nova]

Decidimos ir andando. O percurso, de acordo com o Google, não nos levaria mais do que quarenta e quatro minutos a pé. E o dia está espetacular. Então seguimos em frente. Um passo após o outro. Uma palavra. Muitas mais. Se não fosse porque estamos indo em busca do processo de uma jovem assassinada, essa caminhada poderia ser confundida com um passeio no meio da semana. A rua Ámsterdam é lendária em La Condesa, uma colônia porfirista[2] fundada

[2] A colônia La Condesa é um dos bairros mais tradicionais da Cidade do México e foi construído em 1902, durante a ditadura de Porfirio Díaz. (N. T.)

em 1905 que ainda ostenta suas antigas mansões *art déco* ou *art nouveau*, agora inseridas entre prédios de apartamentos com grandes janelas e *roof gardens*. O Hipódromo Condesa recebeu esse nome porque a avenida que percorremos esta manhã de meados de outubro foi, inicialmente, a pista oval em que os cavalos da época competiam contra o relógio. É fácil imaginá-los: as ferraduras dos cascos batendo na terra solta da pista, o estrépito do galope, seu pelo lustroso, as crinas arrepiadas. Um após o outro, os cavalos. Como se sua vida dependesse disso. Os olhos bem abertos. O ar. O focinho. Agora, povoada com tantas árvores que bloqueiam a luz do sol, a rua Ámsterdam é uma parada obrigatória para turistas estrangeiros e comensais que procuram o restaurante da moda. Oval e coberto de tijolos, o passeio é uma forma fechada, uma espécie de *villanelle* material que, com as repetições de versos no início e no final dos cinco tercetos e no último quarteto, impedem a experiência de continuidade ou a sensação de finitude. Nós sempre damos voltas dentro de um óvalo. Somos sempre um cavalo correndo para salvar a vida.

Enquanto seguimos fielmente as instruções do GPS, ouvimos mais inglês, francês ou português do que espanhol nas ruas de La Condesa. Ali está, porém, o vendedor de flores num dos extremos do parque México. E passa, depois, o catador de papel com sua cantilena dos velhos tempos: jornais velhos, papéis usados para vender. Ali estão os pedreiros que, com as costas arqueadas e os braços voltados para o chão, se encarregam das reformas que fizeram deste bairro um oásis para hipsters e millennials e, em geral, para as hordas de homens e mulheres de longos cabelos sedosos e unhas limpas. Os cães, amestrados. Os gatos, espiando das janelas contíguas. O relincho distante do cavalo. Se eu vivesse no México, certamente não teria dinheiro para morar aqui. Mas estou de passagem. Aproveito essa visita de trabalho ao Instituto de Pesquisas Estéticas da UNAM para rastrear o processo da investigação preliminar 40/913/990-07, no qual se assenta o mandado de prisão expedido contra Ángel González Ramos pelo homicídio de Liliana Rivera Garza, minha irmã. Minha irmã mais nova.

Minha única irmã.

[exausta, farta, enfurecida até o limite]

É fácil se acostumar com a beleza do espaço. A cidade, aqui, mostra seus melhores ornamentos. As butiques dos estilistas. Os cães com coleiras de couro. As rotatórias coroadas por fontes de pedra. Os cafés ao ar livre. Os álamos cobertos de luz. Os grupos de idosos praticando tai chi chuan. Os teatros. Avançamos a toda pressa e, conforme a respiração se acelera, as palavras se precipitam de nossos lábios. O suor. A falta de ar. Há tantas coisas que precisamos contar uma à outra. O que fizemos. O que planejamos fazer. O que passa por nossa cabeça sem motivo algum. As palavras ressoam no caminho que nos afasta das ruas recém-lavadas de La Condesa: vamos em direção à Michoacán até seu cruzamento com a Cacahuamilpa, onde viramos à esquerda, depois à direita na Yucatán e no Eje 2 Sur. Você ouviu falar do professor acusado de assédio sexual que foi proibido de pisar na Iberoamericana? Quase no mesmo instante, viramos à esquerda e depois à direita para entrar na Álvaro Obregón. Você leu o manifesto da Marea Verde Oaxaca contra a organização da FILO? Um quilômetro depois, viramos à esquerda na Cuauhtémoc e entramos na Doctores: da Dr. Velasco para a Dr. Jiménez e, a partir daí, em ruas cada vez mais estreitas e cheias de carros mal estacionados, até o número 56 da rua General Gabriel Hernández. Você já viu o filme *Coringa*? As barracas de sopes e tacos com cheiro de gordura frita. Os artigos variados de muitas esquinas. As varandas em ruínas. Cães de rua. Crianças sozinhas. Aquilo ali é um falcão no meio do céu? É fácil amar uma cidade onde tudo acontece ao mesmo tempo. Onde todo o tempo é tempo real.

Não muito tempo atrás, no início de agosto, um pelotão de feministas furiosas se reuniu em frente a esse mesmo prédio branco com bordas verdes para exigir justiça. No México, dez feminicídios são cometidos todos os dias e, embora ao longo dos anos essa notícia tenha se tornado comum, o estupro de uma adolescente, perpetrado por membros da polícia local dentro das próprias patrulhas oficiais, desencadeou a indignação novamente. Atrás das grades de ferro, as mulheres exigiram uma audiência com a procuradora e, quando seu representante desceu para se encontrar com elas, garantindo que estavam fazendo todo o possível para dar andamento ao caso, uma delas – exausta, farta, enfurecida até o limite – jogou purpurina rosa em sua cabeça. O gesto, tão espetacular quanto inocente, ganhou um novo nome para o movimento feminista que reúne mais e mais mulheres, cada vez mais jovens, mulheres que cresceram numa cidade e num país que não para de assediá-las e não as deixa em paz. Mulheres sempre à beira da morte. Mulheres morrendo e, no entanto, vivas. Com lenços amarrados no rosto e tatuagens nos antebraços e ombros, as mulheres reivindicaram o direito de permanecer vivas neste solo tão manchado de sangue, tão dilacerado pelos espasmos dos terremotos e da violência. Bem aqui, por onde passamos hoje. Um pé sobre um rastro. Muitos rastros. Mais pés. Nos confundimos agora. Os pés que se ajustam às silhuetas invisíveis de outros passos. As silhuetas que se abrem para acomodar nossos pés. Somos elas no passado e somos elas no futuro e somos outras ao mesmo tempo. Somos outras e somos as mesmas de sempre. Mulheres em busca de justiça. Mulheres exaustas e juntas. Fartas, mas com a paciência que só os séculos marcam. Enfurecidas até o limite.

[0029882]

Para entrar na Procuradoria é necessário colocar as bolsas e os casacos nas esteiras de segurança. Boa tarde. Com licença. À frente. Também é necessário incluir as garrafas de água que nos acompanharam na caminhada. Está tão quente. Olhe como eu suei. Depois, por favor, é preciso ir a uma das seis filas disponíveis para descobrir a qual escritório nos dirigir. A amabilidade dos burocratas é avassaladora. Boa tarde. Se você me fizer o favor. Mostre-me, por gentileza, sua identificação oficial. Apresento-lhe o ofício 23971, dirigido à procuradora Ernestina Godoy Ramos, o carimbo de RECEBIDO datado de 3 de outubro de 2019, às 14h20. E me entregam, junto com o fólio 0029882, uma nota informativa na qual se indica que o escritório foi dividido em três áreas. Ponham esse adesivo vermelho na blusa, nos indicam. Um círculo de papel. Um decalque. A marca de que pertencemos a esse lugar de luto e raiva. Minha colega lhe dirá como chegar lá. Temos que pegar o elevador até o quarto andar e, a partir daí, caminhar por corredores forrados de linóleo gasto, um linóleo que, às vezes, deixa entrever o concreto escuro de outros tempos, até sairmos pela parte de trás do prédio e dar de cara com as escadas externas, originalmente planejadas como escadas de emergência, feitas de um ferro que já foi pintado de branco. O rangido dos passos nos degraus. A sensação de que tudo está prestes a desabar. Um andar acima e, já dentro de um prédio de construção nova, virando à direita, no final do corredor, fica o guichê da controladoria da Procuradoria-Geral.

A mulher que fica atrás de uma janelinha de vidro encara a tela do computador e, sem se virar para nos ver, assegura que está nos ouvindo. Suas unhas muito vermelhas. Suas unhas muito compridas. Cabelo metade preto e metade loiro, quase amarelo. Um segundo, por favor. Insere o número do fólio no sistema e aparece ali algo que ela manda imprimir. Por um momento, acho que esse é o processo e prendo a respiração. Será que este é o momento? Será que vou ousar ler tudo agora mesmo? Sorais, que escuta com atenção, põe uma das mãos em meu ombro esquerdo. Então, de repente, a respiração volta. Um salto. Um susto. O documento, datado de 16 de outubro, é apenas uma folha onde estão listadas as três instâncias que podem ou não conter, ou ter contido, o processo que eu procuro. Estou exagerando ou é verdade que a mulher fica com cara de angustiada quando me diz, do outro lado de sua janelinha, que dificilmente conseguirei um documento tão antigo? Se não estiver aqui, pode estar no arquivo morto. E onde fica o arquivo morto? Há vários. Depende da natureza do processo. Sem pensar, pergunto se será possível reabrir o caso. É a primeira vez que penso nessa possibilidade. Ela respira fundo. Olha para mim de novo. Ou abrir um novo caso? Não sou advogada, ela me diz, mas sei que a mesma pessoa não pode ser acusada pelo mesmo crime. É a lei. Baixa a vista. Fica em silêncio. Vocês precisam ir primeiro à Direção-Geral de Política e Estatística Criminal, sugere-nos. Fica aqui mesmo. Voltem para as escadas e virem à direita, lá eles explicarão.

[incomum]

Javier Ticante Cruz está numa reunião, mas a mulher atrás da mesa e da tela do computador pode nos ajudar. Número do fólio? Um caso de 1990, você diz? Ela se lembra. Sim. E sorri. Discutiu esse caso com seu chefe há alguns dias. Ela se lembra disso porque é muito incomum que alguém pesquise um documento de tantos anos atrás. Você sabe disso?, ela me pergunta. Sei o quê? Que é ainda mais incomum que o encontre. Eu a olho nos olhos, mas com todo o respeito. E me pergunto se o que ouço é um simples comentário ou se há, ali, naquela pequena frase pontiaguda, uma censura velada. Pergunto a mim mesma: por que demorei tanto? Tantas coisas acontecem em trinta anos. Especialmente a morte, que não para de acontecer. A morte de milhares e milhares de mulheres. Seus cadáveres aqui, rondando. Atrás do ombro. Nas dobras das mãos, que se apertam. Na comissura dos lábios. Atrás dos joelhos, quando se flexionam. Elas acontecem aqui, ao lado, ao meu lado; não param de acontecer. Suas imagens nos papéis que cobrem os postes de luz, nas páginas dos jornais, nos reflexos de todas as cristaleiras e janelas: o rosto que tinham antes do crime, antes da vingança ou do suborno, antes do amor. O tempo se amontoa e se contrai. Em seguida, distende-se de novo. Um ano. Três anos. Onze anos. Quinze anos. Vinte e um. Vinte e nove. Depois se contrai novamente. Estamos sempre no mesmo ponto de partida: os pés grudados num adesivo duro feito de luto e culpa enquanto o corpo se estende, horizontalmente, para tentar prosseguir. A emoção é a mesma: não se refina nem amadurece ou barateia. Abaixo a cabeça e olho para a borda perfeitamente horizontal da mesa, onde a ponta do dedo indicador anda muito devagar, com toda a parcimônia do mundo. Eu suspiro, derrotada.

Quem tem o direito de decidir quanto tempo é muito tempo e quanto é pouco? Levanto o rosto mais uma vez, o queixo, as sobrancelhas. E a esquadrinho: sua pele lisa, seus cabelos escorridos, seus dentes muito brancos, o delineador preto que emoldura seus olhos calmos. Será que foram forçados a fazer aulas de atendimento ao público? Ou sabem só por experiência própria que todos nós que aqui viemos estamos com o coração em suspenso e a vergonha pesa sobre nossos ombros? Sua voz, ainda mais macia que a pele, diz que acha melhor descermos ao segundo andar, até a Procuradoria-Geral Adjunta de Inquéritos Prévios Descentralizados. Lá eles podem lhes dizer algo.

[memorial]

Policiais. Advogados. Mulheres de salto alto. Agentes. Homens de terno. Avós de avental xadrez. Vítimas. Todos nós vamos lado a lado no elevador estreito. No segundo andar, à direita, fica o balcão verde onde outro funcionário nos diz para darmos mais alguns passos até chegarmos ao guichê. No ofício de fólio 0029882, turno /300/14098/2019, fica estabelecido que: "Por escrito, solicita que lhe seja fornecida uma cópia completa do processo de investigação 40/913/990-07. Anexo S/N. Instruções do procurador-geral adjunto: Envia-se para sua atenção e acompanhamento, a fim de resolvê-lo na forma da legislação pertinente; devendo assinalar a este procurador-geral adjunto a atenção prestada aos presentes, referindo-se ao número do turno correspondente. Dr. Joel Mendoza Ornelas, agente do Ministério Público Fiscalizador. 17 de outubro de 2019". O funcionário nos mostra o ofício, mas diz que só irá me entregá-lo se ficar com uma cópia de meu documento de identidade. E você vai fazer a cópia? Não, imagine, senhora, são tantos os que vêm aqui. Desça e, lá fora, atravesse a rua. Ali há uma fotocopiadora. Descemos correndo as escadas e, num dos patamares, aparece aquele pôster colorido em tamanho ofício com a data 4 DE OUTUBRO em letras bem pretas. E, ao lado dele, colado na parede, desdobra-se aquele papel de um branco suave cheio de palavras do tamanho de formigas. É o memorial em homenagem a Lesvy Berlín Osorio, a estudante da UNAM que foi assassinada por seu parceiro.

Depois de um longo julgamento, a sentença de prisão de 45 anos foi proferida contra o homem que inicialmente argumentou que a morte de Lesvy havia sido autoinfligida. Ninguém acreditou nele. Ou melhor, apenas aqueles que sempre acreditam que as mulheres assassinadas são culpadas pela violência que as matou. Quando a notícia começou a circular, quando as leitoras perceberam que Lesvy fora encontrada pendurada numa cabine telefônica, com o fio preto em volta do pescoço, ninguém acreditou. Depois da perplexidade inicial, sua mãe, Araceli Osorio, deu início ao trabalho de organização popular que obrigou a Procuradoria a abrir um processo. E, dois anos depois, finalmente a resolução. Foram dois anos de ativismo incansável, dois anos em que Araceli Osorio questionou ponto a ponto a versão de suicídio e defendeu, ao mesmo tempo, uma investigação rigorosa e de acordo com a lei para poder redigir aquela frase tão concisa: a estudante assassinada por seu parceiro. A bravura de Araceli Osorio! Quando os mais mordazes começavam a culpar a vítima, expondo comportamentos que consideravam repreensíveis – beber cerveja, sair com os amigos, ter vida sexual ativa, escolher o parceiro errado –, Araceli Osorio nunca desistiu. Nunca parou de defendê-la. Nem drogada, nem prostituta, nem bêbada. Uma jovem, nada mais. Nada menos. Um corpo cheio de gozo, dono de sua própria liberdade. Araceli Osorio repetiu quantas vezes foi preciso: a única culpa de Lesvy era ser mulher. Estamos prestes a passar pelo patamar da escada, mas paro no meio do próximo lance. Você viu isso? Sobre Lesvy? Sim, isso. E a data. Sorais balança a cabeça negativamente. Que data? Dia 4 de outubro é a data de nascimento de minha irmã.

Lesvy e Liliana. O som combinado de seus dois Ls me força a pôr a língua contra a parte de trás de meus dentes da frente superiores e empurrar o ar pelos lados da boca. Consoante lateral. Elas poderiam ter sido amigas? Poderiam ter saído juntas, seus cabelos se movimentando para cima e para baixo, sedosos e revoltos, enquanto dançavam ao som de uma cúmbia? Poderiam ter corrido para ajudar uma à outra em caso de necessidade, de estrangulamento, de sufocamento e asfixia? Consoante aproximante lateral alveolar. Liliana. Lesvy. Elas podem, eu declaro agora sem o ponto de interrogação, substituindo o passado pelo presente.

Tudo neste dia parece ser uma mensagem criptografada: uma pequena caixa de Pandora da qual surgem fantasmas, compromissos, alucinações. Punhais. Quando voltamos com a cópia de minha identificação oficial ao guichê da Procuradoria-Geral Adjunta, minha boca ainda está aberta, meus olhos inexplicavelmente esperançosos. Há alguém mais, murmuro para mim mesma. Claro. Sempre houve alguém mais. O som de um cavalo enlouquecido à distância. Os cascos. O relincho. Agora é preciso ir à Agência do Ministério Público nº 22, em Azcapotzalco. Esse é o próximo passo. Devo avisar que todo mundo sai para almoçar às 15 horas, conta o homem que me entregou o ofício. E eles não voltam à tarde? Eles precisam estar de volta às 18 horas. Precisam? Precisam. Fazemos nossos cálculos. Se nos apressarmos, podemos alcançá-los um pouco antes de que saiam. Com fome. Distraídos. Prontos para guardar todos os papéis e sair correndo. A imagem não é animadora. Decidimos imediatamente. Em vez de correr, preferimos fazer o que eles fazem. Preferimos comer.

[o mundo continua lá fora]

A Procuradoria-Geral fica muito perto do Centro da Cidade do México. Segundo o Google, uma caminhada de dezesseis minutos nos levará ao El Cardenal, um restaurante localizado no andar térreo do Hilton, o hotel que fica em frente à Alameda Central, próximo ao grandioso prédio de Bellas Artes. Sem pensar muito, pegamos a rua Dr. Vertiz para ir à Dr. Río de la Loza, de lá continuamos na Luis Moya, depois nas ruazinhas congestionadas e repletas de lojas do centro histórico. Uma loja de caldeiras. Outra de lâmpadas. Mais uma de uniformes. Seria fácil dizer que o tempo parece ter parado nesse espaço, mas nada aqui está em suspenso. Uma atividade febril percorre as calçadas esburacadas, e as atividades do comércio atraem continuamente a atenção dos funcionários que trabalham atrás de balcões de vidro, diante de prateleiras cheias de mercadorias de latão, de plástico, de ferro. É tanto rebuliço que, em vez de andarmos lado a lado, somos obrigadas a andar uma atrás da outra, formando uma fila que, às vezes, se torna uma linha em zigue-zague. Falar é gritar. Falar é perder, aos poucos, o que nos resta do fôlego. Ao atravessar a Luis Moya, antes de chegar à avenida Juarez, surge uma mulher alta, de casaco preto comprido, preparando-se para atravessar a rua na direção oposta. Nós nos abraçamos em meio ao trânsito parado. Mas o que você está fazendo aqui? Responder às vezes é um jogo. O mundo ainda continua lá fora, sem dúvida. Pegamos um passaporte num escritório do governo e compramos uma passagem de avião; viajamos. Lembramos, tropeçamos, pedimos desculpas. Sob o ruído avermelhado de um semáforo, falamos sobre o verão. Aquele que já passou; o que está por vir. Você tem que fazer as coisas juntas, diz uma das duas. Uma das três. Os sorrisos apressados. Outras palavras se perdem entre o burburinho do meio-dia e a fome. Às vezes, tudo na vida, até mesmo o corpo, parece real.

[suco gástrico]

É possível ser feliz quando se vive de luto? A questão, que não é nova, surge repetidamente durante aquela eternidade que é o desalento. Fala-se muito sobre culpa, mas não o suficiente da vergonha. A culpa do sobrevivente pode atrair uma suspeita talvez saudável, até mesmo uma hesitação razoável, sobre prazer, gosto, companheirismo. A vergonha é uma porta fechada e cimentada. Poucas atividades exigem mais energia, tanta atenção aos menores detalhes, quanto odiar a si mesmo. É uma tarefa milimétrica. Cansativa. De entrega total. Nos primeiros anos de sua ausência, quando os anos se acumulavam um sobre o outro e ainda não era possível sequer pronunciar seu nome, foi fundamental proibir-se qualquer atividade que pudesse interromper a dança da vergonha e da dor. Uma cerimônia repetida muitas vezes. Algo religioso, talvez. Nunca é uma decisão consciente, mas é brutal. Agora, ao entrarmos no restaurante, quando estamos à mesa e a comida começa a chegar, aquele velho sentimento volta. Tenho direito de provar esse queijo fresco, essa flor de abóbora, esse molho verde, esse molho de chile seco? Será que posso realmente me deliciar com esse macarrão, esse polvo assado, essa água mineral muito fria? A comida, como antes, se espalha por minha boca e fica presa na garganta, mas, ao contrário de vinte e nove anos atrás, aprendi a mastigar bem cada mordida e, entre as conversas, consegui disciplinar a mandíbula, a faringe, o esôfago. Agora sei esperar que o suco gástrico decomponha os alimentos aos poucos, por completo, até formar o quimo. Agora eu arroto discretamente. Isso é comer. Isso é tomar a decisão de continuar procurando por você.

[lugar de formigueiros]

Não há como chegar a Azcapotzalco a pé. Em vez de usar o transporte público, optamos por um Uber. Queremos chegar a tempo. Queremos estar lá, na Agência nº 22, demarcação Azcapotzalco nº 1, antes das seis da tarde, quando todos voltam para o expediente. Seguimos para a rua 22 de Febrero com a Castilla Oriente, na Colonia del Maestro, no nordeste da cidade. Querem que eu siga as instruções do Uber?, pergunta o homem que dirige. E nós duas, sem combinarmos, dizemos sim em uníssono. O motorista segue em frente pela avenida Juárez e, depois de avançar devagar por um bom tempo, vira à esquerda no Eje Central Lázaro Cárdenas. Uma vez lá, pega o Eje 2 Norte à esquerda. A cidade parece mais cinzenta. À frente, os edifícios de Tlatelolco se erguem sombrios. Talvez seja a mudança natural da luz, que se prepara para o pôr do sol, ou talvez seja a poluição ou o desgaste da cor dos edifícios. Ozônio. Monóxido de carbono. Óxidos de nitrogênio. Dióxido de enxofre. Talvez seja a melancolia. Azcapotzalco é uma das dezesseis delegações da Cidade do México. Em náuatle, seu nome significa "local dos formigueiros". Segundo a lenda, depois da criação do Quinto Sol, Quetzalcóatl teve a tarefa de recriar a espécie humana. Para fazer isso, ele precisou entrar no reino dos mortos e, assim, recuperar os ossos dos homens e mulheres que morreram. Pequenas e disciplinadas, avançando naquela marcha descomunal da multidão, as formigas não só guiaram Quetzalcóatl até o submundo Mictlan e, uma vez lá, ajudaram-no a carregar os ossos dos mortos um a um, mas também trouxeram de volta os grãos de milho com que alimentariam os habitantes do mundo ainda por nascer.

A imagem é cinzenta. O sentimento também. Uma fotografia antiga que se encontra entre tantas outras, já borrada pelo atrito recorrente, milimétrica, com outros papéis em preto e branco. A imagem vem inteira, de uma só vez. As patas das formigas arremetem contra a face interna dos órgãos do corpo e, lutando contra os tecidos e a mucosa, ameaçam subir ou descer para sair disparadas pelos orifícios da boca, dos olhos, das narinas ou do sexo. Coletoras na superfície; depredadoras sob o solo. As formigas que, exceto pela Antártica ou alguma ilha inóspita, já colonizaram todos os cantos do planeta, agora percorrem o sistema linfático, o intestino grosso, a finíssima rede de veias e artérias, a parte oculta da língua. É preciso se sacudir. É preciso levantar o braço ou mover o pé. É preciso fechar os olhos. E então é preciso arregalá-los. Um piscar de olhos. O tempo se contrai. O tempo se decompõe. Há 130 milhões de anos uma vespa se transformou em formiga e, graças à expansão das plantas com flores, a formiga seguiu seu caminho. O tempo se alarga. Há oitenta milhões de anos, os restos fósseis de *Sphecomyrma freyi* foram presos dentro de um âmbar para que, muitos milhões de anos depois, pudessem ser vistos. O tempo se dilui. Em 1966, E. O. Wilson e uma equipe de cientistas conseguiram identificar os resíduos sob a luz controlada de um laboratório. Olhares de espanto. Sorrisos de triunfo. De onde vem tudo isso? Himenópteras, miméticas, sínfitos, aqui estão todos no Mictlan. E lá vão eles, um após o outro, carregando sobre a carcaça protetora de seu exoesqueleto os ossos de todos os mortos.

Talvez estejamos entrando no Mictlan, ou talvez estejamos, pela primeira vez, saindo dele. Como saber? A verdade é que, enquanto os tepanecas dominavam o fértil Vale do México e até serem derrotados pela temível tríplice aliança dos mexicas, Azcapotzalco era um centro de poder. É difícil acreditar que essa agência do Ministério Público cheia de policiais e burocratas, esse edifício carcomido pela negligência e poluição, ao qual os delegados vêm para identificar os cadáveres, ou onde os feridos chegam para registrar as atas, já foi o centro de comando de um império.

[ai, caramba!]

Paramos, como já é de costume, em frente à policial que guarda a porta de entrada, e ela nos encaminha ao balcão em que outra mulher nos dirá aonde ir. Quando lhe mostro os ofícios que nos trouxeram a Azcapotzalco, ela balança a cabeça pensativamente. Você é Liliana? Sua pergunta me surpreende. Não: sua pergunta me assalta. Liliana sou eu? Serei algum dia? Não posso deixar de levá-la a sério. Olho para ela novamente, sem piscar. Não, é a irmã dela, responde Sorais. A mulher se desculpa. Lê de novo. Ai, caramba! Ela diz. E tem aquele olhar que ainda não consigo saber se é de pura compaixão ou de uma compaixão aprendida em algum manual de orientações para atendimento público. Temos que ver a promotora Martha Patricia Zaragoza Villarruel, mas a promotora Martha Patricia Zaragoza Villarruel não se encontra. Estamos prestes a desmaiar ou chorar. Atravessamos boa parte da área urbana. Viemos de tão longe: viemos de vinte e nove anos atrás. Mas a secretária dela está aqui, nos interrompe. Ela pode ajudá-las. Subimos as escadas. Dois homens instalam novos ladrilhos no chão de cimento. Há velhas cadeiras de plástico encostadas nas paredes. Uma ou outra mesa de metal pintada em tons de amarelo e marrom. Se você não soubesse que é um escritório do governo em pleno uso, pensaria que se trata de um refúgio para uma guerra em andamento. Muitas coisas acontecem em trinta anos. A morte acontece. A morte nunca deixa de acontecer. Uma mulher de olhos verdes, perfeitamente delineados, nos recebe na entrada de um corredor que leva a um escritório que não podemos ver. Quando insere o número do fólio no sistema, um novo ofício aparece. Não é aqui, ela nos diz. O caso foi passado à Agência 40, território Azcapotzalco 3.

[território azcapotzalco]

Adv. Arlete Irazábal San Miguel
Agente do Ministério Público Supervisor
Responsável de Agência em AZ-3
PRESENTE

Com base nas disposições dos artigos 21 da Constituição Política dos Estados Unidos Mexicanos; 59 e 60 do Regulamento da Lei Orgânica da Procuradoria-Geral de Justiça da Cidade do México; e 27, incisos III e IV, do Acordo A/003/99 emitido pelo titular desta Instituição, anexo ao turno 300/1827/2019, assinado pelo dr. Joel Mendoza Ornelas, agente do Ministério Público na Procuradoria-Geral Adjunta de Inquéritos Prévios Descentralizados, bem como o fólio 0029882, assinado pelo adv. Rigoberto Ávila Ordóñez, secretário particular do procurador-geral da república, através dos quais envia promoção assinada pela sra. Cristina Rivera Garza, mediante a qual solicita cópia completa do inquérito preliminar número 40/913/990-07.

Portanto, instruo-a a concordar com o que é cabível de acordo com a lei e a ser devidamente comunicado ao promotor.

Sem mais para o momento, receba uma saudação cordial.

Atenciosamente,
A promotora.

[serão reais?]

Temos que ir mais para o norte agora. Mais a noroeste. O escritório da advogada Irazábal está localizado na avenida De Las Culturas com o Eje 5 Norte. É onde ficam os 170 prédios do conjunto habitacional El Rosario. Não tem erro, diz a secretária, escrevendo o endereço completo num pedaço de papel. Você pode me dar uma cópia do ofício?, pergunto a ela. E, em vez de reclamar ou responder com grosseria, ela se levanta da mesa. Espere um minutinho, já te trago. Eu quero ter todos os documentos deste dia. Todos os ofícios de todos os dias que me esperam no futuro. A janela do segundo andar dá para um parque de árvores raquíticas e bancos quebrados. É lá, entre essas ruínas, que ela aparece pela primeira vez. O cabelo dela. Suas passadas largas. Aquele ar de alguém que se dirige ao infinito. Estou a ponto de dizer seu nome. Estou a ponto de dizer: Liliana. E levantar o braço contra o ar da tarde e sorrir. Mas temos que continuar.

Não sabemos se o Uber que pedimos virá do nosso lado da rua ou se teremos de contornar o trânsito para chegar ao outro lado. O cinza das paredes feitas de blocos de cimento, ou manchadas de cimento, se espalha pelo céu. Não há nenhuma reserva ecológica nos 2.723 quarteirões que compõem a demarcação. Não há espécies silvestres nos 54 parques de Azcapotzalco, apenas salgueiros e pinheiros transplantados. No único rio que atravessa essa área da cidade, o De Los Remedios, desembocam todos os dejetos ou o lixo industrial. Em suas águas sujas, os cadáveres de muitas mulheres navegaram ou afundaram. Um rio também é uma fossa. Por outro lado, há quinhentas indústrias, muitas das quais utilizam ou produzem substâncias tóxicas, e uma refinaria, a 18 de março, com dutos subterrâneos que avançam sob a avenida Tezozomoc, a 5 de maio, a Salónica, o Eje 3 Norte, a Ferrocarril Central e a Encarnación Ortiz. Só na colônia Industrial Vallejo existem 250 fábricas de produtos químicos que produzem etanol, compostos de cianeto, fosfatos e solventes orgânicos. As poucas áreas verdes incluem o parque Tezozomoc, o parque Alameda Norte, próximo à estação de Ferrería, a praça Hidalgo e o campus da Universidade Autônoma Metropolitana, inaugurado em 1974. Esse é o território de Liliana. Tudo isso já foi tocado por seus olhos. Os pássaros que nos recebem assim que chegamos à Agência 40 são todos pássaros seus. De onde eles vêm no meio de toda essa desolação? De que local desconhecido, no passado ou no futuro, eles foram transplantados? Como sobrevivem?

Serão reais?

[os arquivos não duram para sempre]

Um homem debruçado sobre as teclas do computador nos informa, sem nos ver, que a advogada Arlete não está ali, mas deve voltar, como todo mundo. Talvez às sete e meia da noite. Talvez depois. Talvez antes disso. Ela está numa reunião em Bachilleres. Vamos esperar?, pergunto a Sorais, esperançosa. Claro, responde ela. A pedido do burocrata que transcreve ofícios em sua tela, vamos para a sala de espera. Algumas fileiras de cadeiras de plástico laranja. Cartazes de promoção. Mesas com tampo de fórmica. Isso é a Agência 40. O banheiro feminino, que fica num dos cantos à direita, não tem papel. Sorais vai até a mesa do homem curvado e volta com um grande rolo de papel industrial bege. É estranho avançar entre os poucos delegados, advogados e policiais que montam guarda nesta tarde de sexta-feira com o papel gigantesco sob o braço. Afinal, trata-se do reverso de nossos genitais. E aí surge, por completo, essa sensação de estar exposta. Quando entramos naquele recinto, fazemos exatamente o que eles estão imaginando: baixamos as calças e posicionamos as nádegas longe o suficiente do vaso para que nossas coxas não toquem nele e perto o suficiente do vaso para que a urina caia lá dentro. O barulho da micção. A rigidez das pernas separadas. Vamos lá fora fumar um cigarro?, pergunta Sorais. Não faço isto há anos. Sair de um prédio do governo para acompanhar alguém que fuma. Como você está se sentindo?, ela me pergunta enquanto flexionamos os joelhos e nos sentamos no meio-fio, sem prestar muita atenção no que estamos fazendo. Adolescentes mirradas. Mulheres com uma relação muito tênue com os bons modos e o decoro.

A fumaça do cigarro se confunde com a tarde, que cai. Uma mulher se aproxima lentamente e, depois de subir a calçada, caminha atrás de nós para jogar algo numa grande lata de lixo. Tenham cuidado, ela diz, para que nenhum inseto suba em vocês. Que tipo de inseto?, pergunto a ela. Uma tesourinha, por exemplo. Não tenho ideia do que as tesourinhas fazem ou podem fazer, mas instintivamente passo a mão direita nas costas e fecho bem a blusa. Já longe, já ao lado de dois policiais que estão parados junto à cerca de ferro que é a entrada da Agência 40, a mulher acende um cigarro e, como fizera Sorais, vira o rosto para o céu, franze os lábios e expulsa a fumaça. Monóxido de carbono. Ozônio. Dióxido de enxofre. Mais para trás ficam as fábricas, que começam a acender suas luzes. Turno da noite. E, ainda mais para trás, aquela coisa confusa e turva que é a noite. Espiamos o relógio sem dizer e, também, nos perguntamos a hora o tempo todo. Aqui, sob a folhagem da árvore e o canto dos pássaros invisíveis, estamos protegidas. Aqui podemos falar de amor. Contudo, mais além, quem sabe? *Mais além é a lei, o cerco do terror, o feudo do castigo.* É fácil mastigar os versos e engoli-los todos juntos, como se fizessem parte de um antigo medicamento. Não é mais além; é aqui. Advérbio de lugar. Entramos no Mictlan ou saímos, pela primeira vez, do Mictlan? Aqui minha irmã faleceu. Eu me corrijo: aqui a assassinaram. De acordo com o mandado de prisão: aqui ele a matou. Os policiais saíram desta agência em direção à rua Mimosas, nº 658, na colônia Pasteros, na manhã de 16 de julho de 1990. Uma chamada de emergência. Um bairro em suspenso. Talvez Tomás Rojas Madrid, o jornalista que cobriu o caso, também tenha caminhado por aqui em ritmo acelerado. Aqui chegaram os primeiros laudos periciais e as fotografias e transcrições das testemunhas. Aqui, em algum momento, o inquérito preliminar 40/913/990-07 passou de mão em mão. Aqui, ou perto daqui, expediu-se o mandado de prisão contra Ángel González Ramos, o homem que nunca foi preso; o homem que, livre até hoje, não teve de enfrentar a lei ou pagar por seu crime. O homem impune.

Talvez eu tenha vindo aqui há trinta anos.

Uma das assistentes da advogada Irazábal caminha perto de onde estamos e, com certa compaixão, nos pede que entremos e procuremos por ela em sua mesa. Vou explicar o que está acontecendo, diz ela. A advogada, sua chefe, não tem o processo, explica com uma paciência infinita. A advogada é diretora da Unidade de Refugos. Se mandaram vocês para cá, é porque alguém acredita que, por algum motivo fortuito, um arquivo de muito tempo atrás possa ter sido guardado aqui. Fortuito. A palavra fortuito. Olhem, ela continua, apontando para a tela do computador. Digita sua senha e o número da consulta preliminar. O sistema não o reconhece. Quando cheguei aqui, há cerca de onze anos, já haviam mudado todo o sistema operacional. E, antes disso, certamente houve outras mudanças. Mas alguns devem ter sido conservados, não é?, pergunto a ela. A esperança cravada na língua. Alguns vão para o arquivo morto, é verdade, mas mesmo lá seu tempo é limitado, explica ela. Não acreditem nem por um minuto que os processos duram para sempre. Mas esperem pela advogada se quiserem que ela explique a vocês.

[um estuprador em seu caminho]

O feminicídio não foi criminalizado no México até 14 de junho de 2012, quando o Código Penal Federal o incorporou como crime: "Artigo 325: O crime de feminicídio é cometido por quem priva uma mulher de sua vida por razões de gênero". Grande parte dos feminicídios cometidos antes dessa data foram chamados de crimes passionais. Foram chamados de andar em passos errados. Foram chamados de por que ela se veste assim? Foram chamados de uma mulher sempre tem que se dar ao respeito. Foram chamados de algo ela deve ter feito para terminar assim. Foram chamados de seus pais a negligenciaram. Foram chamados de a garota que tomou uma decisão errada. Foram chamados, inclusive, de ela mereceu. A falta de linguagem é avassaladora. A falta de linguagem nos algema, nos sufoca, nos estrangula, nos atinge, nos esfola, nos isola, nos condena. Por isso, quando o grupo feminista Las Tesis organizou a performance “Um estuprador em seu caminho”, no Dia Internacional Contra a Violência de Gênero, no centro de Santiago, Chile, a representação teve tanta ressonância em tantos lugares. “E a culpa não era minha / nem de onde eu estava / ou de como me vestia.” Tratava-se de uma linguagem já em uso, uma linguagem que vários grupos de ativistas, e vários grupos de mulheres assediadas, tinham posto em funcionamento nos tribunais e praças, em marchas barulhentas e ao redor da mesa da sala de jantar, mas que poucas vezes antes daquele inverno de 2019 tinham soado assim. Tão contundentes. Tão diretas. Tão verdadeiras. “O patriarcado é um juiz / que nos julga por nascer / e nosso castigo / é a violência que você pode ver.” Você sabia que, na primeira vez que falei com a Procuradoria para solicitar uma audiência, eles me perguntaram com todas as letras o que eu estava procurando? Sorais fuma com uma dedicação a toda prova. Há alguma volúpia na maneira como ela segura o cigarro entre os dedos e, depois, na maneira como o aproxima do rosto e o põe entre os lábios. Há um tanto de determinação e outro de disciplina na maneira como inspira; na maneira como mantém a fumaça nos pulmões e como a deixa escapar depois de alguns segundos dramáticos. Você sabia que, naquele momento, eu não soube o que responder? Gaguejei. Hesitei. Digo-lhe isto: digo-lhe que gaguejei. Que hesitei. Estou procurando o processo, falei, gaguejando. A fumaça no ar. O cheiro de algo muito antigo entre nossos corpos. Só isso?, perguntou a voz do outro lado da linha, intrigada. “É feminicídio. / Impunidade para meu assassino. / É o desaparecimento. / É a violação.” Então eu percebi, no decorrer daquela ligação, como estava pedindo pouco. Não, eu disse, interrompendo o que parecia ser o fim prematuro da ligação. Não. Estou procurando outra coisa. "O estuprador é você." As figuras formadas pela fumaça do cigarro se elevam e, aos poucos, vão desaparecendo no ar. O que eu quero é que se localize o culpado e que ele pague por seu crime. Fiquei em silêncio novamente. Engoli em seco. Procuro justiça, finalmente disse. E repeti de novo, tornando-me eco de tantas outras vozes. Repeti mais uma vez, agora com mais firmeza, com absoluta clareza. "O Estado opressor é um macho estuprador." Procuro justiça. "E não era culpa dela / nem de onde ela estava / ou de como se vestia." Procuro justiça para minha irmã. "O estuprador é você."

Às vezes, leva trinta anos para dizer em voz alta, para dizer em voz alta a um funcionário do sistema judiciário, que se procura justiça. Às vezes é preciso todo esse tempo para voltar a Azcapotzalco e sentar-se sob a folhagem de uma árvore desconhecida e ouvir, tremendo de medo, cheia de incredulidade, o canto improvável dos pássaros.

[cordão umbilical]

Já está completamente escuro quando decidimos chamar um Uber. Quase não há ninguém na Agência Território Azcapotzalco 3, mas o policial que guarda a entrada nos acompanha até a calçada para esperar o carro. É pura precaução, ele nos diz, quando nos voltamos para olhá-lo com alguma suspeita. Vocês não devem esperar aqui sozinhas. Sozinhas? Viramos uma para a outra, mas estamos tão cansadas ou tão atordoadas que deixamos passar o comentário que paira em nossa mente. A motorista, dessa vez, é uma mulher. O caminho vai ser longo, ela anuncia, enquanto observa o mapa que aparece na tela do celular. O trânsito está péssimo a esta hora. E vocês vão para o outro lado da cidade, diz ela, aborrecida ou abatida. Parece que o trânsito é sempre assim, menciono, vendo o enxame de luzes que se refletem no contrafluxo dos carros. Sim, ela diz minutos depois, corrigindo-se, respirando fundo. O trânsito é sempre um inferno. Ambas as mãos na parte superior do volante. Os braços estendidos. Os olhos tentando ver algo acima do teto dos carros na estrada. Estivemos tão perto. E agora, a passo de tartaruga, estamos nos afastando. O meio ambiente e o corpo foram supurando uma mucosa translúcida e pegajosa que, ao longo das horas, conseguiu formar um cordão umbilical que nos mantém conectadas e tensas. Azcapotzalco e nós somos isso. Uma pulsação. Isso, o passado que não é passado, mas um si mesmo com o presente. Aqui também está o futuro. Algo estremece dentro de nós. As mãos na barriga. Daí vem o desejo de que essa rede que nos conecta a tudo não desapareça. À medida que a membrana se rompe e a separação ameaça tornar-se real, surge o desejo de que os tecidos consigam suportar o peso de toda essa distância que percorremos de volta à demarcação Cuauhtémoc. O espelho retrovisor. O olhar que procura algo lá atrás. Os carros se movem milimetricamente, usando o freio e o acelerador quase ao mesmo tempo. Embora os semáforos funcionem, vermelho, verde e amarelo no meio do céu, poucos motoristas os respeitam e os cruzamentos se transformam em engarrafamentos imediatos. Uma buzina. Duas. Muitas mais. É a melodia da máquina quando para de funcionar. A motorista, aflita e desesperada, de repente encosta a testa no volante. Não pode mais. Foi um dia tão difícil. Tão longo.

Aqui, Sorais diz a ela. E põe uma bala de hortelã em sua mão aberta. Não se preocupe. Sairemos de tudo isso em breve. Obrigada. Normalmente não sou assim. Normalmente aguento bastante, diz ela com a voz despedaçada. Mas hoje. Aproveita a distração de um motorista para entrar na única faixa que anda. O freio. O acelerador. As gotas de chuva que caem no para-brisa estão totalmente deslocadas em outubro, mas se espalham amplas e alheias no vidro como se fosse verão. O freio.

Os processos também morrem, murmuro. A raiva é muito parecida com a resignação. A impotência, com o medo. Mas isso é apenas o começo, garante Sorais, sentando-se na beirada do banco e envolvendo o braço direito no encosto do banco dianteiro. Quer me ver. Quer me confortar. Chegamos à terra dos formigueiros. Agora temos que cavar, predadoras do subsolo. A motorista entra em ruas cada vez mais estreitas para tentar escapar do trânsito, mas tem cada vez menos ideia de onde está ou como pode sair da nova bagunça. Uma batida no volante. Os relinchos de desespero. Um cavalo. Nesse momento, sei que o próximo passo será contratar um advogado para me ajudar a rastrear o processo. E que, ao mesmo tempo, enquanto essa busca é realizada, enquanto os pedidos recebem um e outro carimbo de várias agências, vou ter de recriar o processo que ainda não existe, que talvez não exista mais. Se esse processo desaparecer, digo pela primeira vez enquanto o trânsito enlouquecedor da cidade se fecha sobre nós, não haverá memória oficial da presença de Liliana na Terra. Se esse processo morrer, como todos os processos morrem – não vamos acreditar, nem por um minuto, que eles vivem para sempre –, morrerá a possibilidade de localizar o assassino e forçá-lo a responder ao mandado de prisão. Tem de haver um julgamento. Deve haver um julgamento e deve haver uma sentença. Deve haver justiça.

Cuidem-se, diz a motorista ao chegarmos ao nosso destino. Você também, dizemos a ela. Aqui estamos nós de novo, de volta à pista oval do hipódromo, onde os cavalos invisíveis continuam a relinchar. As mãos entorpecidas nos bolsos. Os cabelos despenteados. A pele ressecada. Atravessamos a cidade como quem atravessa uma guerra. Viajamos no tempo. Perdemos tudo e nos salvamos. Tudo ao mesmo tempo. Embora não estejamos com fome, também não temos vontade de nos separar. Sem um acordo prévio, começamos a caminhar lentamente sob os galhos escuros das árvores, em silêncio, à procura de um restaurante. As luzes bicolores dos carros da polícia. O rebuliço da noite. Não temos reserva. Aceitamos qualquer mesa disponível no primeiro local aberto. E a mesa acaba sendo uma ao fundo, bem perto do espaço que leva alguns garçons apressados e angustiados à cozinha. O caminho vai ser longo, diz Sorais, repetindo a frase com que a motorista de Azcapotzalco nos cumprimentou. As mochilas e jaquetas que penduramos nas costas das cadeiras contrastam com as roupas de sexta à noite dos outros clientes. Seus vestidos de lantejoulas. Seus casacos de pele falsa ou *cashmere*. Suas blusas de alcinha. É evidente que não somos daqui. É claro que viemos de outro mundo, outra era geológica, outro planeta. Antes de pedir um *couvert* e dois copos de água mineral, posso vê-lo de longe. Você não vai acreditar, digo a Sorais que, diante de mim, não vê quem entra ou sai do estabelecimento. Não se vire. Inclino a cabeça e olho para baixo, mas continuo observando com o canto do olho enquanto o homem de terno escuro e gravata colorida se aproxima de nossa longa mesa, com seis cadeiras, quatro das quais ainda estão disponíveis. Quem é?, Sorais me pergunta. Quando ele me vê, quando o homem me reconhece, ele se vira imediatamente, quase sem pensar, e se choca com a mulher que está segurando pela mão. A jovem, que não viu o incidente, que não entendeu por que o homem tão determinado antes se voltou de repente, insiste em ir até as cadeiras disponíveis e ele, agora de costas para mim, leva-a pela mão até a entrada. Você se lembra de que estávamos falando sobre o professor acusado de assédio sexual que não tem mais permissão para pisar no campus da Universidade Iberoamericana? Sorais arregala os olhos. Então, como se fosse uma piada, explode numa gargalhada. Não posso acreditar, ela diz. Se você se virar discretamente para a esquerda, poderá vê-los. Por fim eles conseguem uma mesa do lado da porta. Sorais vira o pescoço rapidamente e, depois de reconhecê-los, depois de constatar que o professor acusado de assédio está ali com uma mulher jovem e faceira à procura de uma mesa num restaurante da moda, depois de confirmar que nada está acontecendo, que aqui não acontece nada, que os acusados podem continuar com sua vida como se nada tivesse acontecido, volta a cabeça à sua posição original. Estou com uma vontade de fumar, diz ela. Se você não estivesse aqui de testemunha, eu pensaria que tudo isso é produto de uma imaginação doentia. Ou um engano. Ou uma mentira medíocre. Ou uma ficção barata. Mas você está vendo com seus próprios olhos, digo a ela. Estou vendo, Sorais assente. E isso tem que mudar. O cordão umbilical volta a pulsar na borda do estômago. Os tecidos desse novo órgão sideral continuam a transportar sangue e voz, glóbulos brancos e vermelhos, memória, coragem. Sem acordo prévio, novamente levantamos os copos de água mineral ao mesmo tempo. Nós vamos vencê-lo, dizemos em uníssono, entrechocando os copos. As bolhas. O som de celebração. Vamos vencer o patriarcado.

[4 de outubro]

Estamos no depois, que é longo. Um dia depois de ter visitado a Procuradoria de Justiça da Cidade do México para tentar obter cópias do processo preliminar 40/913/990-07, vou ao cemitério na companhia de meus pais. É dia 4 de outubro. Liliana tem, agora, muito mais anos sob a terra do que os que já viveu em cima dela. Teria sido seu aniversário número 51. É seu aniversário 51. Libra com ascendente em Capricórnio. Um galo, no horóscopo chinês. Aqui estamos nós, os três, ainda convidados para a sua vida e sua memória. Trazemos conosco a enxada para limpar a sepultura na qual, há tantos anos, escolhemos colocar apenas uma pequena placa tumular, com seu nome e as datas de seu nascimento e morte gravadas na parte superior do retângulo escuro. E trazemos também os baldes de plástico para transportar água e regar as flores que compramos, como fazemos há trinta anos, no mesmo lugar à beira da estrada. Fora do cemitério, até parecemos pessoas normais. Lá, do outro lado do portão de ferro cada vez mais enferrujado, caminhamos e comemos, cumprimentamos pessoas, celebramos triunfos, oferecemos condolências, vamos às aulas ou festas. Lá fora passeiam as vidas que continuaram: as carreiras, os livros, as viagens, os aniversários, os filhos. Mas aqui dentro, sob a influência do ar que rasga os picos do vulcão para depois tocar, meditativamente, o interior de nossos pulmões com suas asas frias, aqui dentro somos pura tristeza. É mentira que o tempo passa. O tempo fica travado. Há um corpo inerte aqui, preso entre as dobradiças e os parafusos do tempo, que suspende o ritmo e a sequência. Não crescemos. Nunca iremos crescer. Nossas rugas são artificiais, apenas indícios de vidas que poderíamos ter vivido, mas que foram para outro lugar. Os cabelos grisalhos, as cáries, os ossos frágeis, as juntas rígidas: meras posturas que escondem a repetição, a redundância, o estribilho. Estamos presos numa bolha de culpa e vergonha, perguntando-nos continuamente: o que não vimos? Esse é o eco. A luz do sol é sempre espetacular no outono. Por que não pudemos protegê-la? O sussurro dos *oyameles*.[3] A claridade dos pinheiros.

Meu pai se apossa da enxada e, aos 84 anos, se empenha em remover cuidadosamente todas as ervas daninhas, curvando-se para arrancar a grama teimosa ou desfazer os torrões com as mãos quando nada mais parece funcionar. Bufa. Faz uma pausa. Transpira muito. E, enquanto se agacha no chão e chora discretamente, sempre em silêncio, me pergunto quantas vezes por dia ele se lembra de Liliana, da quantidade de dinheiro que lhe exigiram na Procuradoria quase três décadas atrás para continuar com a investigação do feminicídio de Liliana. A quantia de praxe. Quantas vezes por dia ou por ano ele se culpa por não ter tido dinheiro suficiente. Quantas vezes ressoam em seus ouvidos as palavras vulgares, as palavras grosseiras, as palavras de feras de mandíbula aberta com que os delegados e agentes se referiram ao corpo de Liliana. À vida de Liliana. À morte de Liliana. Quantas vezes por dia ele murmura a palavra justiça? Quando não tem linguagem, você fica mais indefeso que nunca. Quem, naquele verão de 1990, ia poder dizer, de cabeça erguida, com a força proporcionada pela convicção do que é certo e do que é verdadeiro, "que não era culpa dela, nem de onde ela estava ou de como se vestia"? Quem, num mundo onde não existia a palavra feminicídio, as palavras terrorismo de parceiro, poderia dizer o que agora digo sem a menor dúvida: a única diferença entre minha irmã e eu é que nunca topei com um assassino?

A única diferença entre ela e você.

Num mundo como esse, manter o silêncio era uma forma de te agasalhar, Liliana. Uma forma desajeitada e atroz de te proteger. Baixamos a voz e nos isolamos dentro de nós,

[3] Árvore de abetos nativa do sul do México. (N. T.)

com você dentro de nós, para não expô-la à acusação fácil, à morbidez doentia, aos olhares de piedade. Baixamos a voz e caminhamos com passos enevoados, diminuindo nossa presença por onde passamos, tentando ser de uma vez por todas os fantasmas em que nos convertemos ao longo do tempo, a fim de evitar os ataques dos mordazes, das pessoas predispostas a culpar, até dos bem-intencionados, contra nós e contra você, que ia ao nosso lado, de braços dados, levando-nos pela mão. Porque estávamos muito solitários, Liliana. Porque nunca estivemos tão órfãos, tão desligados, tão distantes da humanidade. Mais solitários do que nunca numa cidade feroz que caiu em cima de nós com as poderosas mandíbulas do machismo: se não a tivessem deixado ir para a Cidade do México, se ela tivesse ficado em casa, se não tivessem lhe dado tanta liberdade, se a tivessem ensinado a distinguir entre um homem bom e um homem ruim. Não soubemos o que fazer. Diante do inimaginável, não soubemos o que fazer. Diante do inconcebível, não soubemos o que fazer. E nos calamos. E te envolvemos em nosso silêncio, resignados à impunidade, à corrupção, à falta de justiça. Sozinhos e derrotados. Sozinhos e despedaçados. Esmagados. Tão mortos quanto você. Tão sem ar quanto você. E enquanto isso acontecia, enquanto rastejávamos sob as sombras dos dias, as mortas se multiplicaram, o sangue de tantas mulheres pairou sobre todo o México, os sonhos e as células de tantas delas, suas risadas, seus dentes, e os assassinos continuaram a fugir, prófugos de leis que não existiam e de prisões que eram para todos exceto para eles, que sempre tiveram o beneplácito da dúvida e a desculpa antecipada, com o apoio daqueles que culpam a vítima sem constrangimento e inclusive hoje, depois de tantos anos, ainda questionam a decisão da garota, sua falta de juízo, seu tremendo equívoco. Até que chegou o dia no qual, com outras, graças à força de outras, pudemos pensar, até imaginar, que a justiça também nos pertencia. Que você a merecia. Que você também valia, entre todas as muitas, entre todas as tantas. Que podíamos lutar, em voz alta e com as outras, para trazê-la aqui, à casa da justiça. À linguagem da justiça.

Quem pode decidir se trinta anos são poucos anos ou muitos anos?

Limpamos há duas semanas e é como se não tivéssemos feito nada, diz meu pai, interrompendo a passagem súbita do céu. Tudo crescido de novo, acrescenta. Nada é como antes, mas ele não desiste. Ele se cansa, é verdade; fica sem fôlego, é verdade; mas não desiste. Minha mãe, que se senta ao lado da sepultura enquanto esquadrinha o pasto com aparente desânimo, só consegue suspirar de vez em quando. Como se fossem pedaços de conversas que acontecem em outro lugar, ou em outro mundo, algumas palavras conseguem escapar do silêncio. Visão. Água. Cume. Habitação. Destino. Felicidade. Nunca entendi muito bem o que dizemos a Liliana nessas visitas. Mas tenho certeza de que, cada um a seu modo, falamos com ela. Tenho certeza de que ela nos responde. E que a ouvimos. Pela primeira vez não tenho vergonha de estar aqui, ao seu lado. Liliana. Pela primeira vez, sei que posso pronunciar seu nome sem cair de joelhos. Há outros. Há muitos mais. Esta é a palavra justiça e acabamos, sim, de sair do Mictlan. Um eco e tantos outros. Mais um. E, este, o abraço que sempre nos recebeu dentro de seu peito. O ar de seu nome completo: Liliana Rivera Garza.

Você mesma.

II

ESTE CÉU IRRITANTEMENTE AZUL

Oh, I'm burning! I wish I were out of doors – I wish I were a girl again, half savage and hardy, and free… and laughing at injuries, not maddening under them![4]

Emily Brontë, *O morro dos ventos uivantes*

[4] "Oh, estou queimando! Gostaria de estar lá fora – quisera eu ser uma criança de novo, meio selvagem, livre e atrevida […] rindo das injúrias, e não enlouquecendo por causa delas!" (N. T.)

[escrita e segredo]

A infância termina com um beijo. O sonho não é o sonho de cem anos e a boca aberta não é a do príncipe encantado; mas aquela pura espera que é a infância chega ao fim com um beijo. Lábios nos lábios. Dentes. Saliva. A respiração entrecortada. Os olhos abertos. A infância termina com a instauração do segredo. Agora, depois de ter escrito tantas coisas em pequenos papéis quadriculados; depois de enviar longas cartas em folhas arrancadas de cadernos escolares; depois de distribuir cartões de aniversário ou cartões de Natal ou cartões de Dia dos Namorados cheios de rabiscos e desenhos; depois de ter sub-repticiamente inscrito linhas inteiras nos cadernos de outras pessoas, surpreendidas em seus momentos de ócio ao descobrir a mensagem horas ou dias mais tarde; depois de ter descrito, à mão ou à máquina, enrolando folhas tamanho carta no cilindro da Lettera 33, a lenta passagem dos dias em que absolutamente nada acontece; agora é possível escrever algo que não pode encontrar outra forma de expressão. Agora, sim, é possível escrever o inexprimível. Ou melhor: agora há algo inexprimível e, logo a seguir, agora é possível escrever. Agora é possível dizer: "Jamais vou esquecer o dia 22 de janeiro de 1982. Foi um dia simplesmente fantástico. Nem o 28 de abril. Nem o 20 de maio. Meu primeiro beijo em 31 de novembro de 1982 entre 14h30 e 15 horas". Não importa o nome ou o lugar, importa apenas o fato. Importa o acontecimento em si: a pele que atinge seu próprio limite e, alvoroçada e curiosa, com o ânimo de quem não olha para trás, dá o salto. O que importa são as aventuras. O que importa é o acontecimento que, extirpado de todos os outros atos da infância, brilha, imaculado, por ser umbral, fronteira, passagem secreta. *Meu primeiro beijo*. São irrelevantes a erupção do vulcão Chichonal, a desvalorização do peso e a estreia de *E.T.* É levantar a mão para dizer adeus enquanto o corpo se dirige, a cabeça primeiro e o olhar depois, para a frente: o sucesso definitivo de Michael Jackson com seu álbum *Thriller*, a transformação do antigo Partido Comunista Mexicano no Partido Socialista Unificado do México, os inúmeros cemitérios onde os primeiros corpos infectados com aids vão parar. A escrita também o inaugura assim: o que virá. Ela já escrevia antes, mas, depois do beijo, a escrita passará a ser o lugar do registro que é, por estar fora, por se apresentar de maneira voluntária ou involuntária aos olhos dos outros, a forma que o segredo assume no mundo. Seu ser material. Adolescência é o outro nome do arquivo.

Enquanto minha irmã mais nova dava seu primeiro beijo, eu estava entrando na faculdade.

[caixas de papelão]

Elas sempre estiveram ali, volumosas e alinhadas, na parte superior do closet. Sete caixas de papelão e três ou quatro de madeira pintada de cor lavanda. Os pertences de Liliana. Certa manhã, chegamos ao seu pequeno apartamento em Azcapotzalco e rapidamente, com a velocidade da ferida aberta, empacotamos tudo que atravessava nosso caminho em caixas de papelão. Da mesma maneira metódica e silenciosa, com os gestos de um exército que obedece a ordens precisas, nós as carregamos depois uma por uma e as acomodamos na parte de trás de uma caminhonete. E nunca mais voltamos. O que se faz com os objetos dos mortos? Em Toluca, na casa de meus pais, separamos livros e cadernos, agendas, pôsteres, bonecos, roupas, sapatos e etiquetamos as caixas com seu nome em maiúsculas. Como se fôssemos esquecer. Como se houvesse a menor possibilidade de confundi-las com outras caixas. Em seguida, tentando dar uma ordem exterior ao caos que revolvia tudo dentro de nós, as levamos uma a uma até aquela prateleira do armário que antes pertencera a malas vazias ou colchas de inverno. As caixas resistiram à mudança que levou meus pais da velha casa que dividiam com sua filha mais nova, com as filhas intactas, para a casa que, poucos quilômetros a oeste, prometia, se não um novo começo, pelo menos uma trégua. Uma mudança de cenário. Uma pequena armadilha para a memória das coisas físicas. Ninguém tocou nas caixas por trinta anos. Por trinta anos elas estiveram lá, à vista, mas não ao alcance.

O que provoca a sensação de que agora, depois de tanto tempo, finalmente se está pronto para enfrentar a tragédia e o conhecimento da tragédia? Como ter certeza de que agora é possível fazer as perguntas e, principalmente, que já se está em condições de ouvir as respostas? Não sei. O que sei é que, depois de entrar com a primeira petição na Procuradoria de Justiça da Cidade do México, não consegui mais parar. Noites sem dormir e crises repentinas de choro se multiplicaram naquele outono. Mas chorar é um ato civilizado. E o que se passava ali, naquela casa de janelas limpas, de onde despontavam os ramos de carvalhos e magnólias, estava na verdade acontecendo em outro local. Eu estava em Houston, mas na verdade estava no passado. Eu estava em Houston, mas caminhava, ao mesmo tempo, na periferia do tempo. O luto, que ao longo dos anos se transformara numa cerimônia solitária à qual eu assistia em silêncio, explodiu com gritos e tapas. Quando aparecia a pressão no peito e surgia o gemido entre as cordas vocais, eu voltava a abrir a porta de seu quarto. A mão na maçaneta. A poeira que flutua, ecumênica, nos raios de luz. Seus livros. Os pôsteres que ela via todas as manhãs. Os cadernos. A pergunta: quem sou eu agora? Eu estava em Houston, mas habitava num tempo mais além ou mais aquém da civilização.

Certo dia, depois do enterro de Liliana, quando os parentes e amigos já haviam se esfumado rumo a suas rotinas diárias, chorei daquele mesmo jeito animal, já sozinha em casa. Um grito é um som estridente e agudo emitido de forma violenta. Um alarido expressa dor ou medo. Mas aquilo que se espalhou só naquele quarto, que ninguém ouviu e que cortou, ao mesmo tempo, o ar em dois, ou em muitos pedaços, era algo que vinha de um mundo desconhecido e se comunicava, da mesma forma, com mundos ainda por nascer. O atrito lento, estridente, entre materiais diferentes. Algo com bordas danificadas e fedorentas. Algo ainda sem forma. É preciso abraçar o abdômen e deitar como uma bolinha no chão. É preciso esconder o rosto. É preciso implorar. Acima de tudo, sim, é preciso implorar. O tempo não passa em absoluto. O passado nunca é passado. Aqui estava tudo isso, intacto, mais uma vez. E, como então, houve noites em que fui despertada pela certeza de que não ia conseguir, que dessa vez também não ia conseguir.

Eu queria me lembrar. Para fazer as pazes com meu medo, vasculhei as anotações da época e comecei a fazer perguntas aos parentes próximos a mim. Visitei tias, encontrei-me com adolescentes que costumo evitar, dei telefonemas. Alguns responderam em monossílabos, outros se estenderam copiosamente. Todos baixaram a vista em algum momento, envergonhados. Sinto muito, diziam. Não me lembro de mais nada. Alguns choraram. Logo percebi que, na verdade, sabíamos muito pouco. Uma garota desorientada, vítima do abuso diário de um predador. Uma mulher talvez muito livre. Uma nadadora disciplinada. Uma jovem confusa, disposta a experimentar de tudo. Uma menina boa e dócil, cega diante do perigo. Uma mentirosa. Uma aluna exemplar. Uma inocente. Uma amigona. Uma mulher cheia de amor. Uma estabanada. Alguém com passado. As estampas produzidas por suas histórias e, até mesmo, por minha própria memória, multiplicavam-se exponencialmente, contradizendo-se sem constrangimento. O resultado, porém, era o mesmo: trinta anos de silêncio. O medo de quebrar a cara ou o medo de não suportar a dor ou o medo de morrer acabaram se tornando cúmplices do assassino. Lá estávamos todos nós, tão sem fôlego, tão sem palavras, tão silenciosos e imóveis como Liliana em seu leito de morte.

O que distingue a violência doméstica, especialmente o homicídio de parceiro, de qualquer outro tipo de crime é o amor, assegura Rachel Louise Snyder em *No Visible Bruises: What We Don't Know About Domestic Violence Can Kill Us.*[5] Nenhum outro ato de violência extrema se alimenta de uma ideologia tão disseminada quanto compartilhada. Quem em sã consciência seria contra o amor romântico? As centenas de milhares de mulheres assassinadas por seus parceiros po-

[5] *Sem hematomas visíveis: o que não sabemos sobre violência doméstica pode nos matar*, tradução livre. (N. T.)

deriam responder a essa pergunta de muitas maneiras inéditas. Mas mesmo elas precisariam do que todos nós precisamos para poder responder a essa pergunta básica: uma linguagem capaz de identificar fatores de risco e momentos de extremo perigo. Num país como o México, onde, até recentemente, inclusive a música popular elogiava homens que assassinavam mulheres em ataques de ciúme ou à menor provocação, produzir essa linguagem foi uma luta heroica cujos triunfos, sem dúvida, correspondem a ativistas determinadas a questionar a endêmica desigualdade de gênero e as operações violentas, mínimas ou não, do patriarcado que nos espreita. Exigiu-se o trabalho de gerações inteiras, por exemplo, para que a cantada de rua, vista com frequência doentia como mero ato natural, senão como elogio, fosse denunciada como uma instância cotidiana de assédio no espaço público. Chamar as coisas pelo nome geralmente requer a invenção de novos nomes. Assédio no trabalho. Discriminação. Violência sexual. "O estuprador é você." Para falar assim, para levantar o véu que esconde a violência que aflige e mata centenas de milhares de mulheres dentro e fora de casa, foi preciso lutar contra a corrente e participar ao lado de outros na produção de uma linguagem precisa, atenta em relação às diferenças mortais de gênero.

Um passo importante nessa tarefa foi realizado nos Estados Unidos quando as investigações de Jacquelyn Campbell, uma enfermeira especialista em violência doméstica e violência íntima de casais, levaram à adoção do primeiro Teste de Diagnóstico de Risco de Violência Doméstica. Com base em sua própria experiência no atendimento de várias pacientes e depois de organizar uma investigação minuciosa, Campbell elaborou as perguntas do teste a fim de avaliar e, quando apropriado, diagnosticar, o nível de perigo enfrentado pelas mulheres que chegavam aos prontos-socorros hospitalares com hematomas na face ou nos braços, ossos quebrados ou sinais de estrangulamento. Assim, médicas e médicos, enfermeiras e enfermeiros se tornaram ferramentas para lidar com essas ocorrências de violência, até então consideradas privadas, como questões de saúde pública. Campbell elaborou uma lista de 22 fatores de risco, dentre os quais estão, de forma preponderante, o consumo de substâncias tóxicas, a posse de armas de fogo e o ciúme extremo. A estes são adicionados outros mais específicos: ameaças de morte, estrangulamento ou sexo forçado. Também estão presentes o isolamento de amigos e familiares, ameaças de suicídio por parte do predador e o assédio contínuo. Todo um catálogo de abusos. O mapa transparente da violência que não vemos. Ou que já vemos. Se Liliana tivesse respondido às perguntas daquele teste no início do verão de 1990, ela teria percebido que corria perigo mortal. Talvez houvesse mais fatores, mas aqueles que apareceram em suas cartas e cadernos escolares incluem o ciúme extremo, as ameaças de suicídio do predador e o assédio contínuo. Mas haveria mais?

Em contraste com as noções que explicam a violência homicida como uma espécie de explosão que de repente toma conta de um homem que de outra forma passaria por normal, Campbell afirmou que "o maior fator para a ocorrência de um homicídio doméstico é a incidência prévia de violência doméstica". Poucos matam sua parceira na primeira tentativa. Estatísticas em todo o mundo corroboram o que Campbell disse a Snyder na entrevista incluída em *Sem hematomas visíveis*: "Os níveis de periculosidade operam de acordo com uma cronologia específica. O perigo aumenta drasticamente quando a vítima tenta abandonar seu perseguidor e permanece muito alto por três meses, diminuindo aos poucos nos próximos nove meses. Depois de um ano, o risco desaparece de forma tangível".

Haveria, dentro daquelas caixas de papelão mantidas por tantos anos no closet da casa, os vestígios do perigo crescente que Liliana enfrentava? Estaria lá, entorpecido por tanto tempo, o que podíamos ver ou não ver?

[letra manuscrita]

Os adeptos da grafologia costumam considerar a letra, especialmente a letra manuscrita, como uma passagem inédita para a alma. De seu traço, da força com que a ponta do lápis ou caneta é pressionada sobre a página, de sua ordem ou desordem, deduz-se aspectos da personalidade do escriba, desejos inexprimíveis, obsessões internas. Talvez por isso os manuscritos de escritores famosos gozem de seguidores tão apaixonados quanto doentios: como se os leitores de suas cartas privadas ou de seus diários pudessem descobrir ali algo escandaloso ou vexatório, em todo caso impossível de discernir nos livros impressos. A verdade é que a letra individual, como tudo o que passa pelas salas de aula, é fruto de uma disciplina regida por programas de estudos e professores com salários humildes. Ginástica social. Todos nós aprendemos a segurar o lápis entre o polegar e o indicador e a flexionar o cotovelo e as costas para que, aos poucos, com diferentes tipos de pressão, aparecessem as letras que repetíamos inúmeras vezes em cadernos pautados. Todos nós já fizemos os exercícios que Cy Twombly transformou em obras de arte: uma espiral horizontal, mal desenhada, sobre linhas de uma cor quase azul, quase vermelha. Os alunos de minha geração são treinados em cursiva, que inclina ligeiramente as letras para a direita, conectando-as para formar palavras completas.

A geração de minha irmã aprendeu a escrever palavras com letra de forma, ou seja, palavras em que cada letra formava sua própria unidade completa. Letras como ilhas. O resultado em ambos os casos é menos uma letra única, marca do caráter irrepetível do autor, e mais uma letra geracional, e em muitos casos até regional, através da qual é possível distinguir tanto a idade como as origens geográficas e a classe dos escribas.

A letra de Liliana sempre foi muito bonita.

Em folhas arrancadas de cadernos escolares, geralmente da marca Scribe, de capa dura e quadriculado pequeno, Liliana passou horas escrevendo e reescrevendo cartas que às vezes enviava e às vezes não. Escreveu notas para si mesma, com frequência em terceira pessoa, nas quais mantinha diálogos variados com um eu que também era outro. Escreveu a lápis e com as pontas coloridas de canetas esferográficas e, às vezes, com a tinta marrom, quase cereja, de uma caneta-tinteiro. Também escreveu à máquina, em folhas de papel sulfite que vinham dos escritórios da UAEM – onde nossa mãe trabalhava naquela época – ou em folhas tamanho carta originalmente destinadas a passar a limpo alguns trabalhos escolares, mas que, devido a algum erro ou impressão digital, iam acabar na lata de lixo. Escreveu no calor do momento, com uma ousadia linguística que não se esquivava da piada nem da derivação. E também em momentos tranquilos, quando o cansaço ou o tédio a levavam a elaborar listas de nomes de amigos ou coisas para fazer. Escrevia diariamente e em momentos de celebração. Escrevia rascunhos e os passava a limpo. Revisava uma e outra vez. Repetia uma nota ou carta, muitas vezes com pequenas alterações, até que o texto ficasse de seu agrado, e só então o deixava ir, não sem conservar as cópias em seu arquivo pessoal. Sua relação com esses textos era de expressão – mais de uma vez destacou a necessidade que tinha de se aliviar com esse exercício –, mas também de produção: o que escrevia, mesmo o que se destinava exclusivamente aos seus olhos, respondia a critérios de forma e substância que excediam em muito a mera tarefa da confissão individual e que, no entanto, punham em xeque as noções convencionais do literário. Ela também transcrevia, e com muita frequência. Poemas. Citações de livros. Parágrafos inteiros. Liliana era, de longe, a verdadeira escritora da família.

Embora sua letra de forma apareça uniforme e clara na escrita do ensino fundamental e médio, seus anos como estudante de Arquitetura aumentaram sua consciência da materialidade de toda forma, incluindo a escrita. A letra dos textos que escreveu em Azcapotzalco, quando já era uma brilhante estudante universitária, transmite com maior segurança uma certa noção de estilo. O comprimento das letras, especialmente no sentido vertical, e os espaços entre elas são resultado de um controle cada vez mais meticuloso sobre todos os aspectos do ato de escrever.

Nessa época, sua marca pessoal não era apenas visível numa caligrafia elegante e incomum, mas também na maneira como dobrava o papel. Suas cartas eram bombas de origami que literalmente explodiam nas mãos de seus leitores, aumentando assim a experiência compartilhada de mistério e cumplicidade, alegria e relaxamento. Para abrir suas cartas ainda hoje, trinta anos depois, é necessário tocar no papel com todo cuidado e deixá-lo se desdobrar aos poucos para que abandone a quimera da terceira dimensão e volte, assim, à sua essência plana. Nada era deixado ao acaso. A seleção da textura e do tamanho do papel era motivo de comentários nos escritos. Assim como as cores, tanto do papel quanto da tinta. O tamanho da letra, seu posicionamento seja nas linhas ou abaixo delas, no canto ou no centro da página. E a isso devemos acrescentar a inserção estratégica de rabiscos, desenhos e adesivos. Receber uma carta de Liliana era um convite para entrar num vasto e complexo mundo pessoal, descontraído, talvez bizarro. É o mundo de alguém que controla os materiais em uso e ao mesmo tempo de alguém muito consciente de que o fundamental era a conexão e a troca, ou seja, a capacidade do escrito de se abrir e se acoplar à presença de sua leitora.

Liliana escreveu assiduamente até o último dia de sua vida. Longas cartas muitas vezes planejadas ou notas rabiscadas nas margens dos cadernos escolares durante o horário de aula. Poemas passados a limpo de forma sistemática uma e outra vez. Letras de música. A última vez que ela pegou sua caneta de tinta roxa foi em 15 de julho de 1990, às 10h30. Dezoito horas depois, de acordo com seu atestado de óbito, Liliana parou de respirar.

[*solanum tuberosum*]

No início era a batata. Assim como o algodão havia atraído meus avós à fronteira meio século antes, obrigando-os a atravessar o planalto para chegar aos campos agrícolas ao redor do Sistema de Irrigação nº 22, Bajo Río San Juan, onde se estabeleceram, a batata levou minha família nuclear para as terras altas da região central do México. Meu pai se formou engenheiro agrônomo numa universidade particular em Monterrey e, depois de trabalhar por alguns anos para uma empresa de sementes em Delicias, Chihuahua, não estava muito satisfeito. Ele se inscreveu na pós-graduação da Universidade de Chapingo e, quando foi aceito, minha mãe concordou com a nova travessia: voltaríamos a deixar tudo para trás, nos separaríamos daquilo que conhecíamos:

o clima árido, a comida austera, o sotaque bem marcado. Ao se formar como um fitomelhorador de plantas, meu pai recebeu duas ofertas de emprego: uma em Ensenada, na Baixa Califórnia, e outra em Toluca, no estado do México. Ensenada ficava muito longe de Tamaulipas, onde voltávamos no verão para visitar a família e onde costumávamos passar as férias de dezembro, então eles não pensaram muito nisso. Uma nova mudança. Mais despedidas. O novo arranjo das coisas. Chegamos à cidade mais alta do país em plena estação das chuvas, ainda a tempo de nos inscrevermos nas aulas do ciclo de outono. Liliana tinha quatro anos e era muito apegada, alguns diziam que talvez até demais, à minha mãe. Meu pai assinou seu primeiro contrato de trabalho como pesquisador em 16 de julho de 1974, exatamente dezesseis anos antes do feminicídio de minha irmã.

A batata é uma planta herbácea do gênero *Solanum* e da família das solanáceas. Quando meu pai queria escandalizar os pesquisadores que visitavam as instalações do Instituto Nacional de Pesquisa Agropecuária, costumava dizer descuidadamente, como se acabasse de lhe ocorrer, que suas origens estavam no sopé do vulcão Nevado de Toluca, e não nos Andes. A provocação nunca falhava. Animados pela comida que minha mãe servia e, mais tarde, pelo álcool com que se divertiam na sobremesa, os pesquisadores passavam um bom tempo discutindo o absurdo do comentário. Não importava se vinham do Peru, de São Petersburgo, de Wageningen ou de Munique, se eram homens ou mulheres, se falavam bem espanhol. Com gargalhadas que não escondiam a animosidade, eles forneciam evidências científicas. Mostravam dados históricos. Faziam referências a observações de campo. Liliana e eu, que saíamos da mesa quando acabávamos de comer, depois os observávamos pela fresta da porta. Tornou-se costume imitarmos seus gestos raivosos e os sotaques diferentes. Colocávamos lápis na boca como se estivéssemos fumando. Cruzávamos as pernas e segurávamos o ar ao mesmo tempo, como se nossas vidas dependessem dessa discussão. Zombarmos dos outros em segredo, ensaiar juntas a pantomima de nosso sarcasmo, nos tornava mais do que irmãs: éramos cúmplices.

Passamos muitos fins de semana nas estufas úmidas do campo experimental em que meu pai realizava seus estudos contra a requeima, o fungo que, entre outras façanhas, tem a honra duvidosa de ter varrido as plantações de batata na Irlanda, causando a lendária fome de 1846 que, por sua vez, levou mais de um milhão de migrantes aos Estados Unidos. Passamos inúmeras tardes degustando as finas batatas fritas que saíam dos experimentos feitos por meu pai na pequena cozinha de casa: gosto, doçura, textura, cor, tamanho. De qual vocês gostaram mais? Passamos muitos dias subindo e descendo as encostas do vulcão, chapinhando em riachos de água gelada e perdendo o fôlego em caminhos íngremes, tudo para vislumbrar as pequenas flores brancas e lilases das batatas silvestres, de cujos genes meu pai se valia para produzir novas espécies imunes à requeima. Comíamos batatas. Respirávamos batatas. A batata era nosso deus. Nos arredores do vulcão, passamos horas recolhendo pedaços de madeira seca, folhas e galhos muito finos, para acender uma fogueira sem ter de recorrer ao *ocote*[6] ou ao álcool líquido, como nos ensinava nossa mãe. Passamos dias assim, ouvindo o dramático céu das terras altas: altocumulus, cumulonimbus, cirrostratus.

---

[6] *Ocote* vem da palavra náuatle *ocotl*: um nome indígena para "pinheiro". É muito conhecida e utilizada pelos nativos do México e da América Central para acender o fogo do carvão, sendo esta uma prática muito tradicional e ritualística. (N. T.)

Já em Chapingo, onde moramos nos apartamentos para estudantes graduados dentro do circuito universitário, havíamos tido a oportunidade de comer produtos locais inimagináveis para os migrantes da fronteira: cogumelos, feijão, huitlacoche, pápalo, tlacoyos, milho roxo, pulque. A essa longa lista, Toluca acrescentou o chouriço verde, os quelites, os fungos comestíveis, os romeritos, a sopa de tutano, os tacos de obispo, a torta de nata. Uma dieta rígida, que não nos permitia consumir açúcar ou comprar comida de fora, acentuava o exotismo de todos esses pratos. Certa vez, um dos peões do campo experimental convidou a família para um churrasco na encosta do Nevado. Jerónimo, que havia sido guerrilheiro *cabañista*[7] nos anos 1970 antes de fugir de Guerrero e se estabelecer nas margens de Toluca, trouxe um cabrito muito jovem envolto num lençol branco. Acendeu a fogueira com mãos experientes, colocando pequenos pedaços de papel e madeira no centro de um círculo feito de pedras, e logo fez uma estrutura de arame que permitia que a carne girasse nas chamas enquanto suas filhas comiam os bombons e chocolates com que tínhamos contribuído para a reunião. Eles conversaram muito naquela tarde, numa voz baixa que quase não os fazia soar como adultos. Enunciaram palavras calmas. Palavras de alívio. Palavras em trégua. Assim como se aderiam às brasas do carvão, as palavras disparavam com as faíscas do fogo. A conversa pendia dos galhos dos *oyameles* e avançava montanha acima até mergulhar nas águas siderais da Laguna del Sol e da Laguna de la Luna na cratera do vulcão. Lá, as palavras flutuavam por um momento sem perturbar a

---

[7] Seguidor de Lucio Cabañas Barrientos, um professor rural mexicano que se tornou revolucionário. Líder estudantil, durante a década de 1970 era o comandante do grupo armado Partido de los Pobres (PDLP), que atuava na região das montanhas no estado de Guerrero. (N. T.)

superfície da água. Lá elas nadaram, uma após a outra, avançando com braçadas perfeitas. Lá praticaram o velho exercício de respiração, a cabeça girando da direita para a esquerda sob a água gelada. Lá produziram aquela cadência suave que repetia o movimento milimétrico da rotação da Terra. Então isso é uma conversa, disse a mim mesma. As palavras mal se escondiam atrás das longas sombras dos pinheiros e olhavam diretamente para os olhos roxos dos cardos-reais. Então olhavam para nós; dentro de nós. A conversa pisava em cascalho solto e pastagens e cinzas de cor ocre e branco sobre os caminhos que levavam aos picos. A conversa se esvaía como o sol, aos poucos, e ia se diluindo e depois, como que por encanto, desapareceu. Já estava frio a essa altura, mas na viagem de volta, num silêncio que nenhum de nós quatro se atrevia a quebrar, trazíamos na ponta dos lábios, bem dentro das comissuras da memória, o sabor do cabrito que um ex-guerrilheiro havia nos preparado no topo da montanha. Foi a coisa mais próxima de boas-vindas que recebemos.

Há uma foto antiga em que meu pai aparece montado a cavalo, ao lado de um campo de algodão. Tem as costas eretas e as rédeas estão enroladas em suas mãos. Ele está prestes a sorrir, mas no último segundo decide não fazê-lo: mais um gesto de cautela do que de timidez. Uma estranha convicção, que poderia muito bem passar por serenidade, atravessa momentaneamente seu olhar de quinze anos. Talvez seja necessário ver aquela imagem para entender a palavra longe, o advérbio de fora, a frase somos nosso próprio refúgio. Não sou daqui, isso nos definia, onde quer que estivéssemos. O que ouvíamos na hora do almoço, antes de ir para a escola ou à noite, quando nos preparávamos para dormir, era que toda porta era uma porta de saída. Nossa tarefa era buscá-la ou produzi-la, se ainda não existisse. Vínhamos do além ou do mais além. Certa vez, bati a porta depois de uma briga de família na hora do almoço. Minha mãe esperou que eu voltasse e, na mais completa calma, com a cozinha já perfeitamente limpa, me informou que aquilo era o que as outras pessoas faziam quando ficavam com raiva, nós não. Descendíamos de pessoas que haviam superado tudo, a pobreza, o analfabetismo, o declínio do algodão. Nossa gente, de quem viemos, tinha inclusive sobrevivido à epidemia de gripe de 1918. Nós, e eles diziam isso de maneiras sutis e de maneiras honestas, estávamos vivos por milagre, e o milagre era nossa redenção. Que os outros se desesperassem. Que os outros batessem as portas quando não podiam usar a inteligência, a capacidade de observação ou a paciência. Que os outros perdessem tempo e desperdiçassem seus talentos porque nós, que vínhamos de tão longe, nós que éramos livres, nós que iríamos conquistar tudo, tínhamos o que fazer. Está certo? A voz de minha mãe, tanto mais intimidante quanto mais calma, não admitia reticência alguma. Mesmo a menor hesitação poderia ter soado como traição. Éramos uma república soberana volátil de quatro habitantes. Éramos um reino completo, autossuficiente. Precisávamos de muito pouco do exterior. Essa era nossa arma secreta; nisso consistia nosso método. Não teria ocorrido a ninguém naquela época que outra pessoa pudesse fazer parte de nossa união.

Quando chegamos a Toluca, havíamos atravessado boa parte do território nacional, do nordeste ao centro, mas pouco havíamos nos preparado para o clima frio e para a hierarquia fechada de uma cidade industrial que se media a si mesma apenas em termos de bens materiais ou de rendimentos. Nós reclamamos de Toluca durante anos: de seu clima, seu tédio, sua estreiteza de ideias, sua mediocridade. *Toluca, que significa desafortunadamente*. Embora adorássemos suas nuvens e não passássemos muito tempo sem visitar a cratera do vulcão, resistimos dia após dia a Toluca, centímetro a centímetro. Milimetricamente. Metodicamente. Guerra exemplar. Era claro que estávamos de passagem, sobretudo as duas filhas. Exceto pelas aulas de natação, havia pouco que Toluca pudesse oferecer a duas garotas que iriam para longe daquela cidade conservadora e excessivamente sedentária, cuja misoginia se mostrava nas relações altamente regulamentadas entre homens e mulheres.

Eu, que tinha dez anos quando cheguei, fugi o mais rápido que pude, sem fazer amigos, evitando a todo custo criar raízes; mas Liliana viveu ali sua infância e adolescência. Liliana cresceu sob a proteção daquele céu irritantemente azul.

[amigas para sempre]

As meninas vão juntas ao banheiro e trocam segredos. Uma risadinha boba, inteiramente compartilhada, as persegue como uma nuvem inquieta de vaga-lumes por onde passam. Lá vão elas, todas juntas, com seus uniformes xadrez e, no fim de semana, com jeans e camisetas justas que revelam a leve protuberância dos seios. Elas ainda usam meias brancas e sapatos baixos com sola de borracha. O cabelo comprido, preso com elásticos coloridos, é penteado em rabos de cavalo rígidos. Elas ainda não pintam as unhas ou usam delineador, mas de um dia para o outro vão parar de correr desenfreadas pelo terreno da escola. Em breve, serão ensinadas a se comportar adequadamente. Em breve, serão doutrinadas nos modos da decência. Em breve, serão capazes de se descrever como femininas. Enquanto isso, elas se observam com muito cuidado, medem-se, tocam-se, traem umas às outras. Não há crítica mais mordaz do que a que sai de seus lábios. E se amam também; não, elas se adoram. Talvez não haja cartas de amor mais ardentes no mundo do que aquelas enviadas pelas adolescentes, seja por correio ou pessoalmente.

Boa parte do arquivo de Liliana é composta por cartas de suas amigas. Não só são as mais numerosas, mas também as que são redigidas com maior cuidado. Uma carta de uma amiga não era apenas um pedaço de papel cravejado de letras: o meio era tão importante quanto a mensagem e, por isso, cada carta era decorada com bordas coloridas, purpurina, adesivos, entre os quais predominava a figura de Hello Kitty, canetas diversas, letras muitas vezes ensaiadas e até flores ou folhas secas. Mais do que uma carta, uma pequena amostra da arte postal.

Numa sociedade na qual os telefones fixos ainda eram um item de luxo, que os pais também protegiam com zelo, comunicar-se por meio de aparelhos bem vigiados não era seguro. Os telegramas estavam absolutamente fora de consideração. Mas escrever cartas era simples: bastava arrancar algumas páginas de um caderno, ou encontrar, se a ocasião exigisse, uma boa folha de papel-algodão ou papel colorido com margens estilizadas e procurar um envelope. Se não se encontrasse o envelope, bastava dobrar o papel escolhido de uma forma única e depois lacrá-lo com fita adesiva ou um adesivo colorido. Em seguida, a carta deveria ser entregue pessoalmente à destinatária, em mãos, na saída das aulas; ou bastava, também, deixá-la descuidadamente dentro da mochila ou entre as páginas de um livro para que ela a encontrasse mais tarde.

Como Liliana viajava com frequência à fronteira, onde convivia com primos e fazia amigos dos quais depois cuidava zelosamente, suas cartas não eram apenas locais, mas se deslocavam, com seus carimbos e selos de cor roxa e as bordas tricolores – verde, vermelho e branco; ou azul, vermelho e branco – por todo o território nacional. De Poblado Anáhuac, por exemplo, desde 1983 recebia cartas não só de garotas de sua idade – Adela Orozco, Patricia Castillo, Amelia Rivera, Leticia Hernández –, mas também de tias e vizinhas mais velhas que se afeiçoaram a ela. E Liliana respondia a todas, pontualmente. Também manteve uma longa correspondência com amigos que fazia nas competições de natação, como Rodolfo López González, que começou a lhe escrever de Morelia, Michoacán, e não deixou de fazê-lo mesmo nos dias mais difíceis de sua adaptação à vida em Inglewood, Califórnia. O que sobressai desse acúmulo carinhoso de papéis e envelopes é tempo, muito tempo, tempo físico e tempo emocional. O tempo das meninas em flor.

"Quero que você saiba que não há ninguém no mundo que me entenda como você", escreviam-se com frequência. E, embora de vez em quando mencionassem uma mãe intransigente ou um pai autoritário, na verdade não falavam sobre eles. Nem dos irmãos. Não há menção nessas cartas a parentes lascivos ou assédio nas ruas. A família não era um assunto que os preocupava. Nem a escola nem as aulas os incomodavam: são poucas as referências aos professores, embora haja menções pontuais a diretores que impunham sanções, como a separação física nas salas de aula, quando havia problemas de mau comportamento. De vez em quando, desejavam-se boa sorte nas provas, nada mais. Utilizavam as cartas para pedir desculpas, e o faziam profusamente, por uma infinidade de razões: por algum olhar enviesado ou uma frase que, fora do contexto, poderia ter sido mal interpretada; por guardarem alguma informação que deveriam ter compartilhado na ocasião, mas, por motivos que não explicavam, não o fizeram; por algum boato que agora tinham a oportunidade de confirmar como falso; por falar com alguma garota do time adversário.

Aceitar ou pedir desculpas era uma arte minuciosa sustentada em protocolos labirínticos. As adolescentes tinham uma sensibilidade muito aguçada: uma palavra mal expressada podia desencadear uma explosão de lágrimas; um olhar meio torto podia causar uma ferida que só sararia, se sarasse, muito tempo depois. No final, se tudo corresse bem, as amigas juravam amor eterno uma à outra. Lilianita era como chamavam com muita frequência minha irmã. Queridíssima amiga. Minha verdadeira e única amiga. Lylyhanna. Agradeciam-se mutuamente pela compreensão e prometiam que nada destruiria sua amizade. Juravam que sua amizade iria perdurar, contra ventos e marés, até o fim dos tempos.

Mas as meninas escreviam cartas sobretudo para falar de amor e, mais especificamente, do amor que sentiam pelos meninos. Como ninguém as entendia, segundo afirmavam, contavam-se coisas que não podiam contar a mais ninguém. Elas tateavam seu caminho por um novo território: amor era o outro nome do desejo. Embora os adultos ao redor delas presumissem que as meninas careciam de libido ou sexualidade, ou confiassem que, se a tivessem, seriam capazes de domesticá-la, especialmente aquelas apegadas aos rígidos princípios da igreja, elas aos poucos entravam, não com descuido, mas com ousadia, à ainda desconhecida realidade dos corpos. Os hormônios faziam seu trabalho. E a imaginação também. Em longas cartas, feitas com base em descrições meticulosas onde também reinava o humor, seus problemas apareciam um a um: o menino de quem ela gostava tinha decidido ficar com outra, aquele de quem não gostava insistia muito, um no qual já havia dado o fora insistia em voltar, o que ela gostava havia se mudado para outra cidade, um de outra classe mandara dizer que se sentia atraído por ela, o que ela gostava havia roçado seus lábios, o que ela não gostava ficava mandando cartinhas em papel-cartão. Isso era normal? Algo semelhante tinha acontecido com ela também? Qual seria seu conselho? As cartas eram uma forma de avançar juntas, protegendo-se mutuamente, à medida que se afastavam da terra firme da obediência e da docilidade. Por meio dessa comunicação soterrada, mal disfarçada de pura inocência, avisavam-se mutuamente dos perigos: havia uns malditos meninos que era melhor evitar, outros que já haviam mostrado uma ponta de infidelidade ou falta de consideração. E também havia aqueles que queriam demais.

As mudanças de escola as intimidavam. As mudanças as forçavam a questionar o que eram, o que seriam. "Por quê? Por que tem de ser assim?", Yazmín insistia à medida que o fim do ensino médio se aproximava. "Achei que não me importaria de sair dessa ridícula instituição de ensino, mas, pelo contrário, não é assim. Eu me importo muito, mas não por causa de Raúl, Óscar, Marcela, Claudia ou Alejandra e Cecilia, eles que façam o que quiserem. Mas... você, Liliana, forte e frágil ao mesmo tempo... O que vai ser da minha vida? O que será da sua? O que será de nós? A vida continuará perturbando sua estrada, aquela estrada cujo único objetivo é a morte? Sim, a vida convertida desnecessariamente em morte. Para que serve então o desejo, o ideal, a meta, o futuro, se já se sabe qual é o fim, e a única coisa que ele produz é a dor? Liliana, não quero me separar de você. Te amo muito!"

Yazmín assinou essa carta com um desenho estilizado de seu nome, sem incluir os sobrenomes, e foi ela quem escreveu, em abril de 1984, uma das passagens mais obscuras dessa vasta correspondência: "De lá, de quando nasceram as raças, de quando surgiu o primeiro homem, veio aquela mistura de bestialidade e ternura. Aquele homem é o conquistador sedento de ouro e de glória que violou cada país, triste, derrotado, e que depois o abandonou para nunca mais vê-lo. O filho é um produto líquido do amor ou da falta de amor dos seus pais. E quando uma criança nasce da bestialidade e da tristeza, do saque sangrento do vencedor e da derrota ultrajante da conquistada, essa criança tem que ser dura e suave, cruel e santa, e tem que chorar com uma valsa a pena da sua mãe e vingar a tiros o ultraje que seu pai lhe fez quando a gerou".

Uma carta não assinada, escrita a lápis nas linhas vermelhas da página de um pequeno bloco, anunciava ameaçadoramente com uma caligrafia anônima: "Liliana, Se te faltassem aqueles que você ilumina, qual seria sua felicidade? Eu te admiro, olho gentil que sem inveja pode contemplar até uma felicidade excessiva. Seu olhar é puro e sua boca não esconde o tédio. Você está se transformando, você se tornou uma menina, você está desperta. O que vai fazer entre os que dormem? Você vivia isolada como no mar e o mar a carregava: Você quer pular para a terra? Você quer arrastar seu corpo novamente? Você ama os homens? O homem é muito imperfeito para você. O amor de um homem mataria você. Não se reúna com os homens! Fique na floresta. Vá com as feras, antes de ficar com eles. Por que, como eu, você não quer ser um urso entre os ursos, um pássaro entre os pássaros?".

[fico chocada que eles me amem assim]

A primeira vez que Liliana escreveu o nome de Ángel González Ramos foi num domingo, 10 de junho de 1984. Deve ter sido um dia nublado, um pouco chuvoso. Ela provavelmente estava deitada na cama, os pés cobertos por meias de lã. O quarto contraditório de uma adolescente: a colcha leve, quadriculada de azul e branco, com longas bordas de renda, os pôsteres de Che Guevara e Marilyn Monroe e a paisagem da Golden Gate nas paredes. De bobeira, como ela costumava dizer. Preguiçosa. Sem vontade de fazer nada. Se tivesse se aproximado da janela, poderia ter sentido em seu rosto o ar gelado que descia do vulcão a toda pressa. E teria visto a neve, suave e espetacular ao mesmo tempo, em seu topo. Depois de três anos numa escola de ensino fundamental na melhor zona de Toluca, Liliana acabara de entrar na escola Preparatória nº 5 Ángel María Garibay (Prepa 5),[8] que ficava numa das margens da cidade sobre terrenos que pouco tempo atrás eram dedicados à agricultura e à criação de animais. Colinas e planícies verdes no verão, seguido pelo brilho dourado dos campos após as colheitas. Um ciclo de cores. Tratava-se da escola pública que correspondia à nova casa da família, numa zona recentemente urbanizada nos arredores de Metepec, povoado de tradição ceramista que pouco podia fazer contra o crescente assédio das imobiliárias. Estimulados pelo sucesso do Residencial San Carlos, um conceito inovador que reunia políticos, empresários e traficantes de drogas em mansões selecionadas cercadas por muros, os corretores imobiliários ofereciam terrenos para conjuntos habitacionais à classe média nascente. Sem outra regulamentação envolvida além da especulação e do lucro, Metepec foi se convertendo, em meados dos anos 1980, naquela zona liminar entre o desenvolvimento agrícola e a implantação urbana que se notava claramente na composição do corpo discente da Prepa 5: filhos de camponeses e empresários, jovens com algum poder econômico, mas nenhuma linhagem, ou trabalhadores rurais, todos frequentavam igualmente um campus que muitas vezes compartilhava

---

[8] A escola Preparatória no México é o equivalente ao ensino médio no Brasil. (N. T.)

seu espaço com vacas e ovelhas. Liliana estava então prestes a completar quinze anos.

180684

Hoje não escrevo com minha caneta porque estou sem, emprestei pro Ángel. Eu gosto dele. Gosto muito; e não acho que seja brega dizer que amo ele. Aprendi a amá-lo por causa de BOBAGENS. Lily.[9]

Algum tempo depois, ao terminar o primeiro ano do ensino médio com notas de que se orgulhava, Liliana confirmou a existência do namoro numa carta datilografada enviada a uma prima mais ou menos da mesma idade com quem ela manteve uma correspondência intermitente, mas constante, ao longo da vida:

Leticia,

Não acho que você tenha qualquer problema que te leve à morte, então nem vou te perguntar isso. Ok?

O problema é que também não estou morrendo nem nada e, já que é assim, não tenho motivo pra te escrever, mas como já saí de férias e estou de bobeira, preferi escrever pra uma prima que nunca (isso mesmo!) me responde... VOCÊ.

Pensei em ir passar as férias na sua casa, mas como tenho o estadual duplo A (AA) em duas semanas, tenho que ficar pra treinar e... não tem jeito! O que eu

[9] A fonte utilizada para as cartas manuscritas foi especialmente desenvolvida para este livro com base na caligrafia de Liliana Rivera Garza, e todos os documentos foram fielmente transcritos de seu arquivo pessoal, portanto esses fragmentos podem apresentar uma variedade de estilos tipográficos, erros ortográficos ou inconsistências sintáticas. (N. E.)

posso fazer? Mas não pense que você escapou da minha visita... TALVEZ EU PINTE POR AÍ (mas não em você)!

Ah, você não sabe? Que sua prima Liliana é muito estudiosa, tirou boas notas no primeiro ano nojento do ensino médio; aliás, eu já descobri que você fez o vestibular e está achando que não passou (isso é o cúmulo). Eu acho que é a coisa mais fácil do mundo... (eu acho).

Você se lembra de quando eu andava por aí de paquera pra todo lado? Então, a febre de andar como uma doida acabou, agora já era! Desde que entrei no colégio e depois do que aconteceu com o pessoal que se dizia meu amigo só tive (não gosto do nome que dão: namorados) 3 melhores amigos. Blas (lembra dele?), La chíchara (César) e Ángel, esse é mesmo o nome dele! Oh! Oh! É claro, houve dois carinhas que não largavam do meu pé, um deles já desencanou, o outro ainda não. MERDA.

Ah! Falta um que é de Morelia, vieram competir, e aí! Tem quinze anos e foi pro nacional e a gente vai se ver em outubro (acho), bom, o nome dele é Juan Carlos Tellez. CANSEI DE FALAR DESSES TONTOS.

Você pode se perguntar por que sua priminha chamada Lilianita escreve à máquina, e a resposta é que minha letraaa (com três aaa) ficou muito feia (não escrevo muito bem à máquina, mas leve em consideração que estou deitada assistindo TV).

Sabe de uma coisa? EU JÁ ESTOU CANSADA (olha) CANSEI... isso significa que vou descansar, e (olha) não posso descansar se estou escrevendo... é por isso que vou parar de escrever... e isso quer dizer:

TCHAU.

LILIANITA (OU SEJA, EU).

Leve em consideração os amassados.

No final de junho de 1985, Liliana escreveu três mensagens para Ángel: a primeira, na sexta-feira, dia 28, às 21h37, para lhe dizer que estava tranquila e queria sonhar com ele; a segunda, no sábado, 29, escrita às 20h32, imediatamente depois de desligar o telefone, para agradecer pela confiança e informá-lo de que havia acabado de começar outra carta para ele; e a terceira, uma mensagem muito curta, escrita numa cor verde que o tempo quase apagou, para dizer: Você me fez rir muito e é por isso que te amo muito mais. Trata-se das típicas notas breves, escritas no calor do momento, com as quais as apaixonadas se convencem do que estão sentindo. Mais do que um diagnóstico, uma impressão do presente. A chegada do sentimento ainda sem codificação, apenas lutando para entrar na narrativa do amor romântico. Muitas garotas escreveram esse tipo de recado, e muitas mais o farão, mas Liliana guardava todos eles. Essa era a diferença. Sua diferença. A ânsia de escrever e a ânsia de arquivar surgiram ao mesmo tempo. Por isso, é possível saber que em pleno verão, poucos meses depois, em agosto, enquanto Liliana se preparava para as longas férias, a situação com Ángel havia se transformado.

Num caderninho cuja capa trazia a Hello Kitty, "*Visiting my uncle's farm is what I like best / saying hello to the animals out in the field*", que serviu como diário das férias que ela passou na cidade fronteiriça dos pais dele, em companhia de primos e tios, Ángel deixou de ser motivo de risos e tranquilidade e, muito pelo contrário, e por motivos que Liliana nunca mencionou explicitamente, Ángel agora só lhe provocava raiva e aborrecimento.

300785

Ontem e hoje gostei do José Luis Gómez mais do que nunca. Tive um sonho muito engraçado. Espero lembrar dele pra sempre. Eu sei que sim. Quero apenas destacar as seguintes palavras-chave: tapete chedron, escada de caracol, ISSO, pobreza, ISSO, perseguição, NÃO. Bom, não sei.

050885

A Isabel e eu já combinamos quando vamos sair de férias. Ela está louca pra ir embora e eu faço isso pra não me aborrecer ficando aqui. Vamos embora amanhã à tarde, às 17 horas, espero ter tempo de ir ao IMSS. Estou morrendo de vontade de ver o José Luis. Tomara que ele vá, se não vou me dar um tiro (bem, nem tanto). A propósito, o Ángel veio falar comigo e eu queria xingá-lo. (JÁ) me encheu o saco. Espero que lá (em El Poblado) não me façam sentir muito mal, como é costume deles.

060885

Até amanhã vamos embora! (que alívio). Correção: quarta-feira.

Fui nadar e conversei com o Beto sobre o que aconteceu com o Marín, o Pancho e o César. Acho que tivemos culpa e fizemos uma reunião com aqueles de nós que foram para o estado. Acho que chegamos a um acordo, mas as coisas não podem ser como eram antes. Por sua vez, o Julio prometeu que tentaria mudar. Eu vi o José Luis e ficamos jogando, ele, o Fontana e o Óscar. Acho que todos os três gostam de mim... e eu gosto dos três! Oh! Oh! É certo que um deles me adora (GERARDO) e eu gosto muito dele, porque com o José Luis não acontece nada. O Ángel acabou de falar comigo e acho que eu fui muito exagerada, mas não me arrependo.

Querétaro 080885

Acabamos de chegar de Toluca, saímos de lá às 2:30; acho que foi uma boa viagem, espero que continue assim.

São mais ou menos 8 da manhã. Estou na Central de Matamoros. O ônibus que vai para El Poblado quebrou. QUE FALTA DE SORTE!

Viemos de Querétaro na viação Tres Estrellas de Querétaro, no ônibus 227, os assentos não eram bons (ficavam na frente do banheiro). Chegamos a SLP às 9:00 e saímos às 9:30, chegamos a Victoria às 2:30 e não sei a que horas saímos, acho que às 3:00. Aqui chegamos umas 6:40. Bem, exceto por isso, vamos ver.

São umas onze. Já cheguei, viemos no ônibus das 9, embora ele quase saia sem a gente. Eles me receberam bem, mas me deprime tanto ver sempre as mesmas coisas.

090885

Acabei de acordar, todos estão dormindo, menos o Tome. Acho que três semanas é muito tempo pro meu estado de espírito.

São 6:52 e já está quente. E COMO O CALOR ME IRRITA!

180885, sábado

Hoje acordei mais tarde do que ontem. Não dormi bem. Não sei em que estava pensando. Ontem não fiz nada de especial (aqui não acontece nada de especial). Hoje é dia daquelas danças ridículas dos muitos casamentos. Espero que todos resolvam ir embora pra eu ficar sozinha (mais?).

Pensei no José Luis, no meu José Luis. Nem preciso dizer o que pensei.

Quem sabe o Gerardo se lembre de mim. Fui muito dura com o Ángel. Ele é o culpado por me amar do jeito que me ama... Eles são os únicos culpados, porque fico chocada que eles me amem assim.

Ontem corri uns 2 quilômetros à noite. Me senti bem.

A capacidade da linguagem de descobrir e encobrir ao mesmo tempo. Janela e cortina. Telescópio e névoa. Há algo que caminha, volumoso e transparente, entre as letras de forma daquela primeira menção em junho de 1984 e as referências que aparecem um ano depois, em agosto de 1985. Algo aconteceu, sem dúvida. Algo que não se explicita totalmente, mas que se insinua mais por seus efeitos do que pelas causas. Há uma forma de amar que a choca, de que ela foge e à qual resiste. Trata-se de uma forma de amar que, além disso, ela não reconhece como própria. É culpa deles. É responsabilidade deles, especialmente de Ángel. Sem medo, quase de imediato, Liliana reage com firmeza àquilo que a choca e incomoda, algo que a impedia de rir e a deixou farta – ela se autodenomina exagerada e dura, mas também descreve seu estado de ânimo como sem remorso. O que aconteceu então, o que causou uma virada tão radical e uma resposta tão enérgica, no entanto, não aparece no arquivo. Inominada, talvez inominável, Liliana decidiu não falar, ou não podia falar, ou não tinha linguagem para falar disso.

[louca por maçãs]

210686
Adrián,

Cerca de 10 minutos atrás eu desliguei o telefone (estava falando com você) e fui ver TV. Eu estava sentada quieta (comendo) e passou um comercial de engenheiros (como que por mágica). "Esta é a imagem (de algo) mais comum dos engenheiros, para o que for... etc." Então me deu muita vontade de escrever uma carta pra você (você é Adrián). Depois me levantei, parei de comer (nessa ordem), fui pro meu quarto (que está uma bagunça), tentei arrumar minha cama (sem sucesso), peguei um caderno de folhas quadriculadas (não há nada que eu goste mais do que você e as folhas quadriculadas), procurei uma caneta (por via das dúvidas, ou por via das certezas, direi es-fe-ro-grá-fi-ca), e comecei a escrever. OOOOH! ASSIM. Sem mais nem menos. E aqui estou eu:

FIM (THE END) DA CRÔNICA DE COMO LILIANITA CONSEGUE ESCREVER UMA CARTA PRA ADRIÁN (Leonce, Valencia, Francisco, Pancho, Paco etc.).

COMEÇO DA CARTA DE LILIANITA A ADRIÁN: OLÁ! (apenas o começo).

O TEXTO DA CARTA EM SI (ou em "dó ré mi", dá no mesmo):

Te amo muito (e "sempre" vou te conquistar).

O FIM DA CARTA EM SI OU DÓ RÉ MI:

ADEUS. Lágrimas de crocodilo / bom (Sim! Se você) (Eeeh! Você realmente acreditou, CONVENCIDO!)

Bem (de novo, porque me desviei, tomei outro caminho, mudei de assunto etc.),

ATÉ LOGO (espero que "logo" seja em breve):

FIM DO FIM DA CARTA:

Enfim...

PRINCÍPIO DO P.S. (post scriptum, TONTO!)

P.S.

CORPO DO P.S.: Apenas que mudo com o tempo (a seta é o tempo).

MENSAGEM DO P.S.*:

* Nota (pode pesquisar): O P.S. é mudo.

COMENTÁRIOS:

1. Não sei como Marilyn consegue rir o tempo todo (desde que a comprei).

2. Os cavalos estavam com muita sede (continuam bebendo água).
3. Nem um único carro passa pela Golden Gate (muito raro mesmo).
4. Os pássaros (que propriedade!) dos pôsteres não se cansam de voar.
5. Che é muito discreto (olha sempre pra Marilyn com o canto do olho).
6. Liliana Rivera Garza. Louca por maçãs, por felicidade e muitas outras coisas. Namorada (ARGH!) de Adrián. Estudante (ha ha ha) do 2º ano do ensino médio. Você conhece ela? Não? Ah! Bem, ela adora rir, mas não sozinha; gosta de rir com os amigos e de fazer com que se sintam bem (embora às vezes meta os pés pelas mãos). Mãe de quatro filhos (Juan e Adriana Rendón, Liliana Beltrán e Óscar Robles), com intenção de adotar um quinto (Salvador Diliz). Divorciada (de Juan Blas). Magra, cabelo liso. Nada afeita ao cuidado da sua gentil pessoinha. Honesta. Palhaça (do circo Atayde Hermanos). Ela não tem um amigo-amigo, mas pode confiar em várias pessoas (Adrián, Xochitl, Arturo). Sonha em ser marinheira, em dar a volta ao mundo, em se atrever a aprender muitas coisas, em ser aceita, querida. Você não consegue encontrá-la? Bem, ela não gosta de leite quente, e não é ela mesma quando se violenta (quer dizer, perdão, quando come carne de porco, marisco e peixe). Ela sonhou em ser guitarrista por um tempo, depois em ser pintora, e durante a maior parte dos seus 16 anos sonhou em ser nadadora, mas... Isso nunca acontece. Existem algumas coisas que a impedem (NÃO IMPORTA). Ela se apaixonou aos 16 anos, parece que foi em abril ou maio de 86 (não importa por quem). Nunca vai esquecer que foi seu primeiro amor

(que piada). Tem gente que a ama muito, mas nenhuma é tão tagarela quanto Adrián (por isso fica pensando nele todos os dias, 24 horas). Ultimamente, pensa que Gaby (sim, Gaby) está se afastando mais dela a cada dia, mas ela também acha que Gaby tem razão porque Lily passa muito tempo se divertindo e brincando com (como posso dizer?), bem, não sei como dizer (Chava, Arturo, Fontana etc.). Além do mais, ela chegou a pensar que foi grossa com Adrián apenas por estar com eles (eles a divertem muito). É preciso entender Liliana... (ela é muito inocente [...]).

[fantasia]

Bem, aqui estou eu, tentando escrever algo que me liberte de tudo o que tenho dentro de mim, que me liberte de mim mesma... bem, não sei. "El amor que tú me das es como un día gris...las cosas son así, un tramposo, una mujer".[10] Isso é o que se ouve por aí... engraçado, né? Bem, isso me faz rir — rir e sorrir, sim: amiguinhos, seu amigo o palhaço Bozo vai lhes dar ___________ é só ligar pro número ///////// e nos dizer qual é a capital da Sozinhalândia, enquanto isso vou deliciar vocês com minha canção +++++ ++++++, bom dia, AAAAAAAAAAMIGUIHHOOOOOOSSSSSSSSSSSSSS!!!!!!!!!!

Que piada, né?)( ) ( ). Tudo que acontece é esquisito, bom, esquisito a partir do momento em que eu quero sentir que me afastei de tudo isso, e quero ver tudo esquisito. Sim, olhe: se estou por dentro de tudo isso, me parece normal, mas se não?... quem sabe? Quero falar em particular de

[10] Da música "O ella o yo", da cantora Nadia: "O amor que você me dá é como um dia cinzento [...] as coisas são assim, um vigarista, uma mulher". (N. T.)

cada uma das pessoas que num determinado momento... num determinado momento o quê? Bom, não sei. Acabei de me virar pra janela e descobri um céu azul, azul como o azul dos lápis de cor Fantasy, que eu tinha quando era criança (o azul mais claro, lógico). Sim, eu tinha esses lápis quando era pequena, porque depois não queria mais lápis de cor simples, mas canetinhas, também da marca Fantasy, e depois tive umas canetinhas que me compraram porque pensamos que podiam ser úteis (serviam pra todos, menos pra mim). Também tive algumas caixas pequenas, mas não acho que passem de três. Bem, aqueles foram todos os lápis de cor que eu tive. Agora tenho os que sobram de todos aqueles e os do sol, desculpe, da luz; com aqueles, como também com os de antes, eu pinto tudo que eu quero. Agora queria pintar a Gabriela de amarelo, o Óscar de muitas cores, todas as cores do arco-íris pra ele, seria lindo, né? A Caro de verde, a Jazmín de violeta, o Fontana de azul, o Adrián de marrom, a Aída de vermelho, a Xochitl de branco, o César de roxo, a Martha Mendiola de preto, o Manuel de vinho (e o vinho, tomar, b-e-b-e-r), o Julio de rosa, o Óscar de arco-íris, o Óscar de arco-íris, a Chava de verde-garrafa, o Tocho de bege, o Arturo de azul-royal, o Óscar de arco-íris.

[cale a boca]

"Respeitável" senhor (ha ha ha),

O senhor me chamou de mentirosa e... não sei, não tenho certeza de que esse adjetivo me ofenda ou incomode, porque sei que sim, que sou mentirosa, embora ache que essa palavra não me agrade muito (por que o senhor não procurou outra?). Bem, bem, não é esse o caso, né?

Então sou uma "mentirosa" (com opção de outro nome). Ah, vou lhe dizer que isso me diverte. A gente pode inventar uma infinidade de coisas e sentir todas elas, por que não? (basta tentar), e depois confundir os outros (...) Não, não estou falando à toa, mas é bom saber o que as outras pessoas pensam e que os outros só estão fazendo conjecturas do que é meu, exclusivamente meu (é por isso que me deram).

Bem, sei lá, me senti como um José Luis qualquer, e sinto (na minha alma), como sempre, lhe dizer que todas essas mentiras contêm uma infinidade de coisas verdadeiras, o caso é procurá-las, mas... como eu acho que entendo, o senhor gosta de tudo digerido, não tem jeito.

Quero lhe fazer uma (ou várias) perguntas: o que seria deste pobre mundo se a gente não se calasse sobre algumas coisas? Se tudo fosse dito? Sem mistério? Que chato, hein?

O fato é que sua gentil servidora certos dias é uma e em outros é outra, entende? E não chamo de volubilidade (o que seria um defeito apavorante); mas de relatividade (que é natural num ser que pensa [ou pelo menos tenta]).

É uma questão de abordagem, pensar positivamente... (ok?)

Sabe? Tem uma pessoa que eu acho que me conhece mais do que eu (conheço ela), e isso é estar em desvantagem, porque eu a amo, porque ela sabe o que está acontecendo comigo e eu não posso fazer nada...é irremediável. E essa pessoa, ele ou ela, não importa, nunca me fez perguntas. Só me descobriu, não sei se conscientemente, mas aí está!

Acho que é a única maneira de ter certeza de que você sempre terá alguém por perto: pouco a pouco, de maneira rude, pra depois limar as coisas, os pensamentos, sentimentos e ações. Nunca tudo de uma vez, porque aí não existe mais um mistério, não existe mais um porquê. E então não tem mais graça... está claro?

[este céu irritantemente azul]

Procuro, quero experimentar coisas novas; talvez mais dor e solidão, mas acho que vale a pena. Sei que existe algo mais do que essas quatro paredes e este céu irritantemente azul. Como você pode amar tanto sem realmente querer?

MILENA

M I L E N A milena

M I L E N A

MILEna

mi-le-na

[você não sabe amar]

Brigávamos, como todas as irmãs. Eu ficava desesperada porque, quando criança, Liliana me seguia por toda parte quando eu queria ficar sozinha. Deixe-me pensar, eu lhe dizia. Ela sempre ficava chateada porque, como nos levavam para a escola no mesmo horário, minha relutância, minha incapacidade de acordar cedo ou minha lentidão para tomar o café da manhã sempre se transformavam num atraso que punha sua pontualidade à prova. Nunca tivemos o problema de pegar roupas emprestadas porque quatro anos pesam muito sobre o desenvolvimento dos corpos durante a puberdade. Ela odiava a bagunça de meu quarto, meu jeito deselegante de me vestir, minha total falta de cuidado pessoal. Eu odiava seus bichinhos de pelúcia, a invasão de bonequinhas Hello Kitty nos mais diversos objetos da casa, o fato de ela estar sempre na moda. Quando as mulheres começaram a usar spray para pentear a franja em forma de onda na testa, Liliana usou. E eu zombei dela. Brega. Consumista. Feminina. Uma fronteira silenciosa, mas indiscutível, me punha do lado de meu pai, entre outras coisas porque sempre fui muito parecida fisicamente com ele, e Liliana do lado de minha mãe. A semelhança entre elas, que nos passava despercebida na época, fica evidente nas fotos daquele tempo: as duas são altas, com pernas muito compridas, cabelos grossos e lisos, sobrancelhas espessas, olhos grandes, lábios carnudos. Minha irmã sempre foi uma mulher muito bonita.

A maior briga que tivemos foi acerca do amor. A data é incerta, mas o lugar irrompe com nitidez em minha memória: lá estamos nós, Liliana e eu dentro de um carro estacionado em frente ao mercado Morelos. Estamos em Toluca novamente. Toluca, que significa chuva cinza, que significa pássaros tristes, que significa desafortunadamente. Toluca e seu maldito céu azul. Deve ser um dia de inverno porque a luz, clara, muito fina, recorta com grande precisão as sombras das árvores nas calçadas. Minha mãe saiu do carro para comprar algo e eu, que tinha acabado de me desentender com ela, me remexo no banco do passageiro com os punhos cerrados. Eu a odeio, digo. Entre os dentes. Eu a odeio.

Como é que, em minha memória, Liliana aparece no chão do carro, ao lado dos pedais do freio e do acelerador? Não sei. O que eu sei, o que me lembro com clareza, é o que ela diz então, com muita calma: é que você não sabe amar. A frase me pega de surpresa. Eu pensei muito sobre o amor naqueles dias. Desde que entrei na universidade, não fiz nada além de pensar na luta de classes e no amor. O amor me atrapalha, me enlouquece, me sufoca. Quando as amigas me contam extasiadas suas histórias de amor, só consigo enxergar submissão, falta de liberdade, fracassos profissionais. Muitas dizem que querem viajar, conhecer o mundo, fazer coisas importantes, mas acabam se apaixonando e, depois, engravidando, e logo tudo fica para trás. Logo elas ficam atrás de si mesmas. Alguém precisa deter o amor. Alguém precisa delatá-lo. Nesses momentos, passo meu tempo escrevendo textos contra o amor. Não são manifestos ou o que hoje eu chamaria de ensaios, mas relatos. Contos. Há uma personagem feminina, uma jovem que se autodenomina Xian, que foge desesperada, sem muitas possibilidades de sucesso, de homens e mulheres que lhe prometem amor. "O amor é isto, inventar mentiras e acreditar nelas completamente". Xian resiste em abandonar minhas histórias. Logo tenho três, depois quatro. E outras mais. Ainda não sei que estou escrevendo meu primeiro livro quando Liliana, embaixo do banco de um carro, me garante que não sei amar.

Há algo na maneira como ela diz isso, como se estivesse ciente de algo que eu, sua irmã mais velha, tinha completamente passado por cima. Tão inteligente e tão boba. De mente tão estreita. Tão egoísta. Existe, em suas palavras, uma sabedoria que excede em muito seus anos? Ou é isso que as pessoas chamam de resignação? Liliana não está tentando me convencer nem me julgar. O que sai de sua boca é simplesmente uma declaração de um fato. Uma frase que já nasce completa, com todos os desdobramentos que terá anos depois. Você não sabe amar, minha querida irmã favorita. E você sabe?, quero perguntar a ela, porém a perplexidade e a raiva, mas, acima de tudo, o medo me cegam de repente, forçando-me a ficar calada. Eu sei a resposta. Receio saber a resposta de cor.

Nunca duvidei do amor de Liliana. Ou seja, nunca duvidei de que Liliana me amava. Eu desconfiava de todo mundo: namorados, amigos, parentes, meus pais. Achava que os parentes que me criticavam por minha falta de fé em Deus não me amavam. E isso pouco importava para mim. Aqueles que rejeitavam modos de vida que eles chamavam de libertinos, e eu de libertários, não me amavam. E eles importavam pouco. Achava que também não me amavam os namorados que me abandonavam ou as amigas que, sem explicação, também paravam de falar comigo. Cheguei a acreditar que a insistência de meus pais contra uma liberdade que haviam incentivado em mim também era falta de afeto. Mas sempre me senti protegida no mundo porque eu sabia, tinha certeza de que, acontecesse o que acontecesse, no fim, Liliana sempre me amaria.

Eu acreditava cegamente, absolutamente, honestamente em sua capacidade de amar.

[e se eu soubesse o que vai ser de mim?]

Essa é a última folha do meu caderno, enfim, a primeira de trás pra frente, né? Dependendo de como você vê, porque isso "é pensar jovem, é pensar positivamente, é uma questão de abordagem". Você não gosta desse anúncio? Ah, bem, eu gosto... (e daí?). (Bem, nada).

Estou toda (completamente) relaxada, estou com sono e quando se tem essas duas coisas "mas mesmo assim" também se tem uma repulsa muito grande por dormir durante o dia, origina-se um choque muito forte, e sabe o que acontece? Bem, além de ficar com sono e preguiça, dá um tipo de vício muito engraçado (isso está acontecendo comigo agorinha) tanto que dá até vontade de sentar, deitar ou ajoelhar em qualquer lugar. E então acontece que a gente inevitavelmente começa a pensar, e pensar, e você vira pra olhar o relógio, e pensa que sua mãe vai chegar, e que você tem que pagar a mensalidade da escola, e que você não viu o Ángel hoje, e que você não tem vontade de treinar. Você também acha que não quer mais treinar porque quando não está num ambiente calmo é impossível pra você desenvolver todo o seu potencial físico e de concentração, e você acha que seus exames estão quase chegando, e ainda por cima você se preocupa com tudo, mas a preocupação não é tão grande a ponto de fazer você levantar, pegar o caderno e estudar, certo?

Bom, algo parecido acontece quando você está assim, porque é um pouco igual, hein? Porque você não sabe expressar bem o que está pensando, então acontece algo que te torna muito estranho, é algo assim como pensar se é mesmo você quem está escrevendo, como se... E DE REPENTE! (como por mágica) um sonho aparece na sua mente (não sei de quando foi) e de repente ele simplesmente vai embora e você esquece. E você tem mais sono ainda. E muito mais. E, ouch, suas costas coçam, você se coça furiosa porque te incomoda não ser capaz de se coçar confortavelmente, merda, e você se pergunta por que eles jogam tanto cloro na piscina? Isso deixa minha pele muito seca! E o ruim não é isso, mas o que causa ressecamento na pele: coceira. Então você fica pensando na piscina, e no cloro, que além da coceira deixa um cheiro característico da substância assim chamada, cujo símbolo é CL. E aí você se lembra aula de química e de outra coisa em consequência, e isso te dá nojo, e você prefere deixar em paz. Paz. Merda. E se houvesse paz? E se não houvesse pessoas morrendo de fome? E se houvesse justiça? E se realmente valorizassem as pessoas pelo que são e não pela sua aparência ou imagem? E se eu dormisse? E se eu soubesse o que vai ser de mim? Mas estou com sono, e estou cansada de procurar e procurar carinho, compreensão, tranquilidade, e eu também estou cansada de achar tudo isso, e estou cansada de me sentir mal porque procuro as coisas, daí as encontro, e então elas não me preenchem, não me satisfazem. Talvez seja porque eu as procure muito malfeitas (ou refinadas demais). Bom, não sei, mas esse é o caso, e estou com sono, e ainda continuo com sono, e estou afundando no sono. E, oh! Oh o quê? Bem, nada, nada acontece neste momento, pequenininho, bonitinho, bobinho, inho.

E então você fechou os olhos e se imaginou vendo algo realmente lindo, flores, muitas, muitíssimas, verdes e verde-azuladas, e todas sobre você, aos seus pés e em todos os lugares, e com esse pensamento você adormeceu, e sua mãe veio e então te acordou. E você ficou brava e pensou que viu (pelo menos nos últimos cinco anos) muita gente envelhecer e te doeu pensar que iam te considerar assim quando você passasse de determinada idade que as pessoas impuseram como um limite pra juventude. Que triste!

E todo o seu corpo dói. E você acha que é porque finalmente começou a fazer alguma coisa, e é isso!

III

CONTINUAMOS VADIAS, CONTINUAMOS DIABAS

[você sabe a que me refiro?]

21051987

Lety,

As coisas devem ser feitas na ordem, mas desta vez eu digo que as coisas devem estar em desordem. Portanto:

Até logo, saudações a todos

Liliana.

Pensei em escrever pra você, pois estava olhando umas fotos de uns dois séculos atrás, éramos muito pequenas, quer dizer, menores que agora, e como quero evitar fumar, comecei a fazer algo que me mantenha ocupada (mesmo que seja por dez minutos).

Nós crescemos, e isso me deixa pasma. Você percebeu que cresceu? Exceto pelo lance da menstruação e pelo desenvolvimento do meu corpinho inocente dos 6, 7 ou 13 anos, não tenho outra prova das mudanças pelas quais passei. Caramba!

Quando você vem, hein?

Como você está indo na escola? Você está fazendo Humanas, pelo que eu sei.

Estou no campo da Física-Matemática, ou equivalente, que eu entendo que seja Exatas. Ou algo assim. Tenho aulas muito interessantes de geometria, desenho, cálculo, física e todas essas coisas que eu gosto.

Você mudou, Lety? Você pensa de outra maneira? Você pode pensar que estou traumatizada com as mudanças, mas na verdade estou percebendo mais as coisas.

Como vai? Oi, como você tem estado? Eu estou bem e com muito trabalho.

Você sabe? Aconteceram coisas, não sei se muitas ou poucas, mas são muito grandes, além de indicarem o caminho pra outra pessoa... Não pensei que haveria situações que transformassem o que se pensava há anos, mas parece que é assim.

Você sabe a que me refiro?

A-hã, é por aí mesmo.

Este é apenas um bilhetinho de alguém que te ama muito e não por causa do laço familiar, ou por acaso, simplesmente porque é você.

Me responda, por favor.

Liliana.

[insistência]

A greve da universidade virou as coisas de cabeça para baixo naquele início de ano. Eu havia terminado formalmente as aulas de meu curso de sociologia, mas ainda estava escrevendo uma tese de duzentas páginas sobre a participação das mulheres nos movimentos urbano-populares da Cidade do México, com base num estudo de campo que havíamos realizado na colônia Belvedere, um assentamento de pessoas sem-teto ao sul da cidade. Além disso, eu estava ministrando um curso introdutório como assistente de professor em meu campus e tinha conseguido também algumas aulas na UAEM, onde me matriculara, com certa relutância, para um mestrado. Eu não morava mais no quarto solitário com grandes janelas, que meus pais tinham pago para mim durante meus anos de estudante universitária, e me dividia entre cubículos de aluguel nos cinturões da miséria da grande metrópole, os sofás das salas dos amigos mais próximos e as tentativas fracassadas de formar uma comuna. Eu não tinha um centavo, mas estava começando a desfrutar de uma liberdade que significava estar longe do controle de meus pais. Entre uma coisa e outra, pegava o ônibus da viação Central de Observatorio para ir a Toluca, às vezes só para dar aulas na Faculdade de Ciências Políticas e voltar imediatamente à Cidade do México, e em outras ocasiões, com menos frequência, fazia uma breve parada para visitar uma casa que, com o passar dos anos, foi se tornando cada vez mais asfixiante para mim.

Acho que foi nessa época que fiquei sabendo de Ángel.

Não tínhamos o hábito de fazer confissões íntimas uma à outra. Desde que começamos a crescer, tanto Liliana quanto eu fizemos um acordo tácito para evitar assuntos como sexualidade e amor. Falávamos, e muito, sobre os livros que me acompanhavam, quase todos produtos das expropriações que meus amigos anarquistas realizavam nas diferentes livrarias e lojas da cidade. Falávamos sobre a música que eu trazia para casa naqueles discos que comprava com desconto, com os cupons de assistente, na loja da UNAM. Jaime López e Roberto González. *Sesiones con Emilia.* Eugenia León. La Maldita Vecindad. Silvio Rodríguez. Amaury Pérez. Noel Nicola. Uma boa coleção dos discos da gravadora Deutsche Grammophon. Falávamos sobre política, sobre como era difícil mudar as coisas, sindicatos corruptos, guerras distantes, a pobreza que havia nos assentamentos ilegais de Belvedere. Falávamos muito sobre mulheres, o movimento feminista, de como meu pai, por exemplo, havia limitado a vida de minha mãe, ou como as mulheres eram de fato cidadãs de segunda classe, sem direitos próprios, tratadas como menores legais. Liliana me ouviu me descrever como feminista mais de uma vez, de maneira direta e sem vergonha alguma. Falávamos, nos momentos mais pesarosos, sobre a possibilidade de que, naquele exato momento, a radiação que tinha escapado de Chernobyl havia mais de um ano tivesse entrado pela janela. Você já pensou nisso? Falávamos sobre as viagens que queríamos fazer. África. San Francisco. O Himalaia. Sempre teremos Paris. Éramos obcecadas pela liberdade: a liberdade de amar, a liberdade de se divertir, a liberdade de ir de um lugar a outro. "*A quién le importa lo que yo haga*",[11] cantavam Alaska y Dinarama. E repetíamos uma música que sabíamos de cor. Falávamos sobre o sagrado direito de fazer o que quiséssemos sem nos importar com opiniões alheias. Sempre pensei que aquele menino baixo e forte, de pele branca e olhos claros, que tantas vezes vinha procurá-la, fosse algo passageiro. O típico namorado do interior que Liliana esqueceria quando realmente começasse sua vida em alguma faculdade da UNAM ou da UAM, na Cidade do México.

Ángel não entrava em casa porque ninguém que não fizesse parte da república soberana de quatro entrava nela. Era menos uma coisa moralista e mais a confirmação diária de um fato: somos quatro. Seremos quatro. Mas todos nós o víamos chegar em sua moto ou num velho Renault reformado que a memória às vezes me traz de cor vermelha e, às vezes, preta. E o víamos esperar do lado de fora, com paciência, com amor, seja perto do pequeno jardim da casa

---

[11] "Quem se importa com o que eu faço?" (N. T.)

ou no parque que começava do outro lado da rua e que incluía algumas quadras de basquete. Zombávamos dele com pouco recato. Dizíamos: seu motorista chegou, quando o carro dele aparecia em nossa rua. Dizíamos: peça para ele buscar um pouco de pão, deixe-o entregar alguns recados. Liliana achava nossa atitude divertida, mas irritante, e mesmo assim não deixava de sorrir. Não sejam assim, comportem-se, por favor, dizia ela sem muita convicção. Nas poucas vezes que o ouvi falar, ficou claro para mim que ele tinha um problema de dicção porque arrastava os erres mais do que deveria. Ou isso, ou ele era um idiota. Ou isso, ou ele tinha nos dentes um aparelho com que os dentistas tentam melhorar o sorriso. Ou isso, ou ele era uma criança mimada. Ele me parecia um menino absolutamente sem graça, que era o que eu esperava de todos os meninos de Toluca. Era um loiro numa terra de morenos, o que lhe dava uma certa vantagem. Podia parecer um cara bonito e forte, com braços e ombros torneados em academia. Jaqueta de couro. Camiseta justa no peito. Dava pinta de menino mau. De qualquer forma, era um jovem que já trabalhava na loja de autopeças La Lupita, que a família tinha no número 2.006 da avenida Pino Suárez Sur, na colônia Juárez. Uma avenida populosa. Liliana e Ángel tinham apenas dois anos de diferença, mas viviam em mundos completamente diferentes. Liliana deve ter se interessado por aquela certa aura de autonomia e perigo que ele exalava ao passar.

Na primeira carta que escreveu, em 1987, no mesmo dia em que abriu o ano, uma quinta-feira, Liliana mencionou que estava de dieta e que planejava emagrecer até fevereiro. Anunciava também a um destinatário sem nome, mas que com certeza morava no município de Anáhuac, que havia feito um novo corte e tinha "cacheado os cabelos com uma escova". Dizia que o efeito a agradava bastante. E a alegria, aquele estado de bem-estar, levava-a a desviar-se para os assuntos da vida cotidiana: uma prima mais nova estava passando alguns dias em casa e ela se sentia bem com "uma irmã postiça", sua capacidade de fazer pão francês, a ausência de coisas espetaculares em sua vida. No final parou, quando já não tinha mais nada a dizer, o que aconteceu no limite inferior da folha quadriculada na qual carimbou sua assinatura. Estava tranquila, embora entediada: um céu sem tempestades.

É claro que o namoro dessa vez começou com o ano, porque na época do primeiro grande término, em 26 de junho de 1987, Liliana mencionou que, se Ángel tinha demorado dois anos para conquistá-la, e se já estavam juntos há seis meses, ela esperava que esquecê-lo levasse menos tempo. Como Ángel voltou para a sua vida? Até aquele momento, ele tinha sido apenas um dos vários pretendentes que tentaram prender a atenção de Liliana e sair com ela, sem êxito algum. Ela já tinha namorado com Adrián Leonce Valencia por um tempo, mas ele se mudara para a Cidade do México e, embora continuasse a lhe escrever cartas, o relacionamento foi esfriando gradativamente. Liliana se interessou por alguns nadadores e mergulhadores de salto ornamental de sua equipe aquática, mas não deu em nada. Ela sabia perfeitamente quando atraía os olhares de algum menino e se alegrava com a atenção. Sabia quando flertavam com ela, e quando tinha vontade flertava também, aventureira, cheia de curiosidade, pronta para soltar as mãos da infância. Ela sabia muito bem que os meninos gostavam dela, que inclusive a desejavam. Naquele dia 14 de fevereiro de 1987, Dia dos Namorados, Ángel enviou-lhe um enorme cartão vermelho e um buquê de flores. Em maiúsculas, sem sinais de pontuação e com uma caligrafia que dificulta a leitura, ele se dirige a ela como Lilianita e diz: BOM VOCÊ SABE QUE COMO QUER QUE SEJA COMO SE DIGA OU ESCREVA SERÁ SEMPRE O MESMO AO TE DIZER OU ESCREVER O QUE EU SINTO POR VOCÊ. EU TE AMO MUITOOOOOOO! O cartão que deve ter acompanhado o buquê de flores que comprou na Crystal Florería, rua Vicente Villada, nº 314, com telefone 3-36-63, acrescentava: NESTE DIA EU DEVIA DE TER ESCRITO. PARA ALGUÉM ESPECIAL. MAS MELHOR. PARA ALGUÉM MUITO ESPECIAL. ÁNGEL.

O próprio cartão é um artefato estranho. Uma faca de dois gumes. A capa fosca, forrada com corações vermelhos brilhantes, inclui a pergunta ou exclamação: "Amor, você sabe quem te ama muito?!". Não há imagem alguma dentro do balão branco que continha aquela frase que termina, curiosamente, com um ponto de exclamação. Você tem que abrir o cartão para encontrar a resposta dentro. Mas, ao fazê-lo, a primeira coisa que sobressai é a palavra EU, em maiúsculas, também rodeada de pontos de exclamação. Eu, e não você. Eu, e não o amor. Abaixo, centralizada e genérica, a frase: Feliz Dia dos Namorados. Mais do que professar seu amor, o cartão que Ángel enviou a Liliana fazia uma declaração a si mesmo. A surpresa que o cartão continha em si não era o amor, mas aquele EU enorme e preponderante que cobria quase por completo o espaço retangular do papel. Liliana percebeu isso? Enquanto ele a bombardeava com flores e caixas de doces, percursos de casa para a escola em seu carro e uma atenção que Liliana logo começou a descrever como insistente, uma garota de dezesseis anos seria capaz de reconhecer os primeiros sinais do predador? Bonitos e atrevidos, Liliana e Ángel logo se tornaram o casal do momento. Incomuns. A imagem: a garota alta e inteligente segurando a mão do garoto másculo que andava de motocicleta barulhenta, passando a tarde nas margens do campus enquanto fumavam e bebiam cerveja. Ela deve ter se sentido especial. Ele deve ter se sentido realizado. Existia, à sua volta, à nossa volta, a linguagem que lhe permitia identificar e reconhecer a face do perigo? Naquele 14 de fevereiro de 1987, ninguém pensava, muito menos expressava abertamente, a violência entre namorados adolescentes.

Em maio, porém, as dúvidas de Liliana cresciam, e uma inquietude generalizada, que ela chamava de nervosismo ou histeria, perpassava suas cartas. Ela se perguntou muitas vezes se Ángel já tinha se cansado dela, ao mesmo tempo que a própria ideia lhe parecia inconcebível.

"Eu não acho que o amor, a insistência e a compreensão podem acabar em pouco tempo, ou podem? Sim, eu acredito que num momento as coisas acabam, ou pelo menos há um momento em que a gente fica tão desiludido que as coisas começam a se destruir, certo? Um momento. Em um momento. O que será o tempo? Ainda não consigo entender muito bem o que é isso. Pode ser medido, mas o que é o tempo?"

A palavra insistência. É a primeira vez que aparece no vocabulário de Liliana. E não seria a única.

Uma carta de Ángel, escrita em 22 de maio, à meia-noite e meia, trouxe-lhe algum alívio. Ele pedia desculpas, dizia que era um tolo, um egoísta, que tinha "reuniões de conselho", "processos judiciais" e pessoas que, "por não cooperar com elas, me ferram". Bem ali, escrito em letras maiúsculas que, novamente, não incluíam sinais de pontuação, Ángel revelava, de forma um tanto emaranhada, que aqueles problemas que o deixavam mal lhe provocavam "um emaranhado neuronal que faz com que eu não queira te explicar".

"Me desculpe", acrescentava, "hoje não tive vontade de falar sobre questões políticas não sei como se pode iniciar uma conversa como esta. Não pense que continuarei o mesmo prometo a você não causar mais desconforto ou problemas vou me afastar disso mas entenda que às vezes a pessoa faz isso por outros motivos. Não acho que os aspectos políticos sejam tão importantes a ponto de ficarmos irritados com isso ok. Ángel."

Isso, as próprias cartas revelariam mais tarde, não era uma coisa ou um hábito, mas uma pessoa. Seu nome era Araceli. Ángel estava prometendo a Liliana que se afastaria dela. Ángel estava se referindo a uma mulher a quem ele recorria por motivos outros, que eram o sexo, como um *isso*. Os pronomes demonstrativos são palavras usadas para se referir a um sujeito ou objeto sem nomeá-lo.

Mas a situação não melhorou. E finalmente explodiu em muitos pedaços em 26 de julho às 21h45.

Querido Ángel,

Eu gostaria de escrever tantas coisas... sabe? De qualquer maneira, eu já estava com medo disso. Você não conseguiu se esquecer dela, de Araceli. Eu me sinto muito triste. Sim, triste é a palavra; nem mesmo humilhada. Foi tolice tentar pensar nisso, sentir que você poderia fazer isso. Por quê, Ángel? Por que as coisas têm que ser assim? Não reprovo nada; nos sentimentos, nas dúvidas, ninguém pode mandar.

Verónica não precisava me dizer, por que eu tive que

descobrir por ela? Por que você não me contou? Eu teria entendido, realmente. Por quê? Por que você não disse quando eu perguntei?!!

Não sou tão fraca quanto pareço. Ingênua, sim. Me apaixonei por você, sim. A primeira vez que amo dessa forma. Agora estou só.

Por que não encontrei o que procuro? Talvez o que eu procuro seja perfeito demais, talvez sublime demais, simples demais ou limpo.

Mas não, eu não vou cair. Vou continuar procurando (talvez mais tarde...). Agora não. Eu ainda te amo muito.

Sobre o que será que você conversa com ela? Será que você está beijando e tocando ela? Agora. Agorinha!!!

Primeiro o lance da minha família, agora isso. Não haverá pessoas honestas?

Bem, eu te amo mesmo assim... demorei 2 anos pra fazer isso, pode levar menos tempo pra deixar de amar você. Tomara.

Com amor.

Liliana.

"Aonde quer que você decida ir, meu apoio continuará enquanto você não desistir, porque não há responsabilidade mais atroz ou mais sagrada do que aquela que nos obriga a ser nós mesmos."

L.

P.S. Eu não merecia isso, eu sei que NÃO!

Liliana passou horas acrescentando e apagando parágrafos de uma carta que, passada a limpo, datilografou e enviou a Ángel dois dias depois.

Querido Ángel,

Estou realmente confusa (mais do que tudo), triste e humilhada... Será que se pode esquecer as coisas tão facilmente? Você pode esquecê-las?... Eu não, não sei se felizmente ou infelizmente, mas eu sou uma daquelas raras pessoas que com apenas 17 anos tem uns valores muito elevados, você sabe... a honestidade e todas aquelas coisas raras, e não falo de moral ou pudor, simplesmente o que se pensa é o mais básico para amar os outros e a si mesmo... amor, sim... simples, não só amor egoísta por uma só pessoa, mas por tudo, para todos... Talvez eu seja uma idiota, mas tenho a convicção de que estou certa.

As coisas acontecem na sua frente (ou se preferir, pelas costas); se você está interessado, você pega, se não, o melhor e mais sensato é deixá-las passar... pensando assim não posso, não consigo entender por que você me pegou, pra fazer isso depois... por que não me deixou passar? Eu merecia isso? Eu sei que não. Oh! Eu pensei tantas coisas, meu cérebro está um caos.

Eu não condeno amar ou pensar em outra pessoa, isso não. Nos sentimentos, nas dúvidas... é difícil influenciar, mas o que eu não concebo, o que eu acho sujo, totalmente censurável, é não falar, não ter me falado... Você não vai poder dizer que são coisas que não me dizem respeito, eu tenho o direito de saber das coisas, sim, o direito que me dão 6 meses de convivência com você, 6 meses (ou dois anos?) de palavras, 6 meses de muitas coisas...

Por quê, Ángel? Se eu não te pedi, se eu não implorei por palavras de carinho, por que você as deu pra mim?...Por que tanta insistência? Nunca imaginei que você fosse assim, e até agora não consigo acreditar, não achei que você fosse má pessoa. Achava que você era agressivo, teimoso e até um pouco estúpido, mas má pessoa? Por deus (bem, por deus não, porque eu não tenho um) que não.

Você me achava fraca demais pra entender? Pode parecer, mas não sou fraca, não sou. Eu caí e me levantei novamente. Não estou dizendo que minha vida seja um drama grego, porque não é, mas acho que fui educada pra ser melhor, pra não me deixar vencer, pra criar e aprender...

Bem, depois de um grande discurso retórico, só me resta dizer que, se demorou um ano pra me apaixonar por você, espero que esquecê-lo demore menos.

Sei que mais cedo ou mais tarde encontrarei o que procuro sentimentalmente.

Suponho que você não queira responder a isso, muito menos me procurar, e, sendo assim, encontrarei uma maneira de mandar suas coisas pra "sua" casa.

Sua (por algum tempo).
Liliana.

P.S. Por que eu tive que descobrir pela Verônica?
Acho que foi isso que foi humilhante.
P.S. DE P.S. SEI QUE NÃO MEREÇO COISAS ASSIM!!!!

ISSO É INJUSTO!!!

(em poucas palavras)

Toluca, Méx., uma segunda-feira de julho de 1987.

[o primeiro julho de nossas vidas]

Terça-feira 28 de julho de 1987

Achei que este mês fosse passar como qualquer outro, como qualquer outro mês, e como o julho de qualquer ano, mas acho que não pode ser assim. Este ano começo a faculdade (espero) e tudo o que isso acarreta não pode passar despercebido. Em julho deste ano terminei o ensino médio, a duras penas, mas acabei. Estou em crise neste mês de julho. Estou triste neste mês de julho, é tão feio comprovar que tudo acaba, que nem as próprias coisas podem ser eternas, e com isso não tento dizer que a tristeza é um estado desagradável, não, acho que cheguei a gostar da minha tristeza, também da minha solidão... não sei mais o que dizer, mas tenho tanta vontade de escrever: escrever o que penso, escrever o que sonho, escrever sobre o céu cinzento e a miséria do povo... Escrever.

Ontem tomei o maior banho de chuva da minha vida, não resisti. Claro, depois senti um frio horrível, mas acho que pouco importou pra mim, nem por causa do desconforto que o resfriado me trouxe. Eu me sentia muito bem, limpa (e não porque não tivesse tomado banho antes). Senti a solidão mais perto do que nunca, senti a diferença que existe entre minha pessoa e o mundo inteiro.

[exame de admissão]

Eu queria ser livre. Trabalhava, mas acima de tudo vivia em liberdade naqueles dias. Ia a marchas e, depois, a festas onde havia garrafas de uísque surrupiado, cigarros de maconha feitos em casa e bandeiras rubro-negras penduradas nas janelas. Depois de dançar, depois de tirar a roupa, a multidão acabava cantando "A Internacional" de memória. Eu sabia "A Internacional" de cor. Fumava e escrevia. Escrevia e fumava. De mudança em mudança, conservava apenas a pesada Lettera 33 e as páginas em branco. Xian não me deixava em paz. Xian fazia, à sua maneira, o que eu não ousava fazer. Ou era o contrário? Eu não podia viajar para a África ou Tombuctu, mas podia pegar um trem e me afastar o suficiente. Fiz isso algumas vezes, sem avisar em casa. Sem mala. Sem dinheiro. Uma vez fui para o deserto com um menino taciturno e apaixonado; outras, como naquele verão, peguei uma carona que, de forma aleatória, parou por alguns dias na costa de Guerrero. O menino que me acompanhou naquela viagem escreveu comigo, a quatro mãos, um manifesto: "Não estamos apaixonados". Eu o conheci uma noite antes de partir. Pedíamos moedas nas rodoviárias com as quais depois pagávamos as passagens mais baratas, viajamos clandestinos em vagões de trem antigos, pegamos carona em caminhões carregados de laranjas. Entre uma coisa e outra lemos, na íntegra, *Os cantos*, de Ezra Pound. Roubávamos cachorros-quentes, jeans e chocolates finos que trocávamos por pratos-feitos nas pousadas do interior. Vimos todo um ciclo do cinema alemão em Guanajuato. Comemos cabrito em Monterrey. Aspiramos a brisa do mar em Tampico. Tornou-se habitual acenarmos com as mãos para o alto às crianças que víamos do último vagão do trem. Uma cidade cinza, sem alma, nos esperava de volta. "*Si tuviera ilusiones / si existieran razones locuras pasiones / no habría necesidad / de pasarme por horas / bebiendo cantimploras / de esta gris soledad*".[12]

[12] "Se eu tivesse ilusões / se houvesse paixões, loucuras, razões / não haveria necessidade / de ficar horas / bebendo cantis / dessa solidão cinzenta." Trecho da canção "Distante instante", de Rodrigo González. (N. T.)

E a cidade que por acaso nos unira logo nos separou. Morei um tempo no apartamento que um primo alugava na colônia Roma, no quarto em que, ele me dizia com olhos alucinados, aparecia o fantasma de uma menina assassinada. Pouco tempo depois, encontrei um quarto espaçoso, com piso de madeira encerada, na rústica colônia de Buenos Aires, quase em frente ao Centro Médico, bem próximo ao panteão francês. Meu quarto ficava no segundo andar de um prédio sombreado, cuja entrada exibia estampas coloridas de grafites urbanos. Minha janela dava para um beco estreito, de onde era possível ouvir as vozes de quem vendia peças de carro roubadas ou cocaína. Ou contrabando. Ou maconha.

Era ali que eu morava quando Liliana veio à Cidade do México em 21 de setembro de 1987 para fazer o vestibular para a Universidade Autônoma Metropolitana. A universidade também havia passado por uma série de greves e teve de adiar tanto a data dos exames quanto o início das aulas naquele outono. Liliana dormiu comigo naquela noite e, bem cedo no dia seguinte, saiu do apartamento para o metrô. Eu a vi sair pela janela da sala. Seus longos passos. Os cabelos lisos balançando da direita para a esquerda no ar rarefeito da manhã. Uma linda garota na cidade. Quando, algumas semanas depois, ela encontrou seu nome na lista de aprovados, ficamos sabendo que o curso de Arquitetura era oferecido no campus de Azcapotzalco. E comecei a procurar entre meus colegas da universidade um lugar onde ela pudesse morar perto do campus.

Ela queria ser guitarrista, escreveu uma vez em seus textos de adolescente. Ela queria ser pintora e realmente tinha feito aulas de desenho, aquarela e xilogravura por algum tempo. Ela queria ser nadadora, mas logo percebeu que seus tempos, que eram bons para participar de competições estaduais, não eram bons para competir na liga nacional. Uma vez ela considerou estudar genética, como meu pai. Algo relacionado a herança, ela havia dito. Mas as aulas de desenho, cálculo e geometria no ensino médio em Física-Matemática a convenceram de que ela poderia estudar Arquitetura. Ela também passou no exame de admissão na Universidade Autônoma do Estado do México, cuja faculdade ficava em Toluca, mas quando recebeu a notícia de que havia sido admitida na UAM, não hesitou nem por um momento.

Ángel escreveu uma nota breve para Liliana no dia 30 de outubro, quando ela já se preparava para sua primeira mudança. Em letras minúsculas e maiúsculas, dessa vez, na folha amarela de um caderno Scribe de capa dura, dizia que estava passando bastante mal. Pedia-lhe desculpas novamente. Lamentava-se por "não poder ou não ter podido dar conta do vestibular" e anunciava-lhe, com uma objetividade que parecia forçada, que estava arrumando os papéis para ir embora. "Se eu consigo ir embora", acrescentou ele, "vou me apressar muito pra voltar com muita vontade de fazê-lo de novo." Esse otimismo não durou muito, pois imediatamente a frustração voltou ao lembrar como se sentiria "quando não puder ter você perto de mim e tiver que me conformar. Tudo isso me deixa muito mal. Me perdoe". A verdade é que, ao ser reprovado no vestibular, Ángel González Ramos estava fora da experiência universitária, ficando para trás entre seus contemporâneos e com as opções de trabalhar na empresa da família ou, como tantos outros, de migrar como mão de obra barata para os Estados Unidos. Embora em sua nota ele não especificasse qual era o destino de sua viagem, Ángel deixou seus documentos em ordem para ir a Chicago, onde passou alguns meses na casa de um ex-colega de colégio entre outubro de 1987 e fevereiro ou março de 1988.

[receba o carinho do seu pai]

Uppsala 12/X/87

Liliana,

Parabéns pelo seu aniversário e também pelos não aniversários. E espero que você se saia bem em tudo que fizer, especialmente agora nos exames. Quando você nasceu, eu estava me preparando para um exame – para mim foram momentos muito bonitos. Quando você nasceu eu fui te ver, você era gordinha. Sua mãe cuidou bem de você.

Obrigado por tudo.

Seu pai que te ama muito.

Antonio Rivera Peña

Uppsala 8/X/87

Lili,

Em primeiro lugar, gostaria de parabenizá-la por ter passado no vestibular da universidade da Cidade do México e ao mesmo tempo pedir-lhe algumas informações adicionais sobre o local, o programa de aulas e seus planos. Agora vamos nos ver talvez nos fins de semana e a comunicação do dia a dia vai ser encurtada. Lamento muito a separação de vocês, que pouco tempo atrás eram meninas. Mas a evolução da vida é assim e temos de estar preparados, embora eu sofra por não vê-las todos os dias, e mais pela sua mãe agora. Eu realmente gostaria que tudo acabasse logo. Acho que a relação entre você e Cristina é o resultado lógico de uma série de circunstâncias e, neste momento, o próprio ambiente universitário comum entre vocês torna esse entendimento melhor. Para mim é uma grande satisfação que seja assim, irmãs e amigas ao mesmo tempo. Desejo-lhe o melhor do mundo, e cuide-se bem.

Por outro lado, as relações familiares causaram problemas (especificamente no caso de Cristina). O melhor é a distância, já que as coisas não se resolvem com um simples "me desculpe e lágrimas", e com pessoas tentando fazer as pazes. Isso é assunto exclusivamente da nossa família e nós vamos decidir o que fazer. Na vida, há muitas coisas boas com as quais se pode passar o tempo e, no seu caso, você tem uma vida muito longa pela frente. Seu pai, Antonio Rivera Peña.

Uppsala, 20 de outubro de 1987

Olá, Lili,

Como estão as coisas? Espero que tudo bem. Lili, cuide-se bem nessa Cidade do México e procure entender o povo chilango[13] para que as coisas não se tornem difíceis para você. Agora mais do que nunca gostaria de estar no México, mas a situação é bem diferente (porque estou fazendo as coisas fora de hora), embora as coisas estejam indo bem, mas esse tempo em que não estou com vocês está me saindo muito caro, justamente por isso mesmo, por não estar presente e poder apoiá-las mais de perto e estar vendo vocês. Às vezes, acho bastante difícil e é por isso que estou pensando em tudo, porém para que os textos saiam não depende só de mim, mas também dos assessores e revisores.

Lili, agora que você e Cristina estão no México, cuidem bem da alimentação, principalmente Cristina, não sei qual será a melhor e mais balanceada dieta, o que eu sei é que uma alimentação variada e mais natural mantém as pessoas mais acordadas para não se exaurirem e também

[13] "Chilango" é uma forma coloquial de se referir às pessoas que vivem na capital do México. (N. T.)

neutralizar o ambiente da cidade, já que vocês têm muito o que fazer no futuro. Por alguns motivos, eu gostaria que sua mãe morasse com vocês por algum tempo e ir levando a mudança de forma mais gradual, e não tão rápida como vocês estão fazendo agora. Você inicia um período de mais independência em que tudo ou quase tudo depende exclusivamente de você, mas um apoio mais direto acho que é melhor. Acho que com Cristina deveríamos ter feito mais durante seus estudos, no entanto, ela respondeu como uma mulher forte (embora eu às vezes a veja muito fraca). O bom da vida é que felizmente ela nos oferece a oportunidade de apoiá-las e para mim é uma das coisas que mais gosto de fazer e continuarei a fazer com ela e com você.

É bom que você se sinta confortável nessa universidade (não me lembro onde ela se localiza); quanto às aulas e a quantidade de trabalhos, isso também faz parte do prestígio de uma instituição. É claro que as pessoas que estudam num lugar renomado se lembram de que as coisas boas só se conseguem com esforço, muito trabalho. Às vezes há momentos de desespero ou solidão, às vezes as coisas não saem do jeito que você quer, mas tudo isso é recompensado pelas outras coisas boas que se obtém e que te fazem continuar com mais força do que antes, mas de fato é preciso provocar para que saiam coisas boas. A força de uma pessoa não é só a força física, a mais forte é a mental, e a vontade, que é o que te move, com base em conceitos e princípios que foram adquiridos na vida. Portanto, há escolhas na vida e você tem todo o meu apoio naquilo que escolheu estudar.

Aqui em Uppsala digo que recebo cartas da menina mais nova e da mais velha, e quando lhes conto a idade, as pessoas riem um pouco. Por aqui também há dias em que avanço mais do que outros. Antes de voltar para o México, tenho que deixar três artigos prontos para publicar. Estive em Copenhague consultando material e possivelmente tenha que ir para a Inglaterra, mas esses são apenas planos até agora, questões das espécies silvestres de batata. Receba o carinho do seu pai, Antonio Rivera Peña.

[continuamos vadias, continuamos diabas]

Enviei o manuscrito de *La guerra no importa* ao prêmio nacional de contos de San Luis Potosí com mais atrevimento do que esperança. Eu havia participado de duas oficinas literárias na universidade, mas na segunda fui expulsa por ter contrariado o instrutor em relação a suas ideias sobre Octavio Paz. Continuei escrevendo sem motivo, apenas porque era minha maneira automática de reagir à hecatombe de alguns anos em que as crises econômicas, as desvalorizações monetárias, a falta absoluta de liberdade e de democracia, as guerras internacionais tornavam a vida impossível, ou melhor, indesejável. Continuava escrevendo porque não havia outro jeito, como Liliana fazia.

Os contos de Xian, que eram unidades discretas em si mesmas, se entrelaçavam numa trama muito frágil e formavam, era o que eu aspirava, uma espécie de romance vacilante, frágil, prestes a se desfazer. Essa era mais ou menos minha visão da cidade naquela época. Eu me sentia assim: presa numa rede de buracos que, paradoxalmente, não oferecia saída alguma. Xian bebia demais, fugia demais, mentia demais, fracassava demais. Suas relações com homens e mulheres eram ambíguas, tingidas de afetos um tanto opacos, paixões tristes que se desvaneciam depois da fumaça dos carros ou dos vapores do álcool. Tudo acabava apodrecendo na cidade em que ela morava, principalmente a vontade de viver.

Num dos contos, um homem sequestra Xian porque quer saber onde está Julia, a anarquista ruiva cujo paradeiro é um enigma desde o início do livro. Você também se apaixonou por ela, velhinho pervertido?, a garota pergunta ironicamente antes de receber um tapa forte. De resto, o sequestrador é paciente. Permite que Xian fique em paz naquele apartamento de paredes brancas enquanto ela não faz nada além de mergulhar numa banheira de porcelana e recordar. Para Julia, que ela conhecera graças a uma mentira inventada e efetuada na hora, parecia que o que realmente importava no mundo não era a verdade, mas sim a cumplicidade. Me dê um nome, me chame do que quiser, convidou-a durante sua primeira excursão rápida pela cidade. E Xian então a batizou com o nome de Terri, porque a mulher era, de fato, terrível. Desempregadas, com ligações um tanto caprichosas com organizações clandestinas, sem eira nem beira, as meninas passam os dias viajando em trens desconjuntados, fuçando em bairros antigos ou sentadas nos degraus de entrada de prédios sombrios, cujos portões de metal mostravam com mais resignação do que orgulho as pichações das diferentes gangues do bairro. Aí passa um cão negro, humilde e ameaçador, de focinho machucado, que Terri não tem medo de acariciar. É o diabo, diz ela à amiga. Como você sabe? É óbvio, tem cara de quem procura dono ou de quem quer matar gente. Como você. E como você, amiguinha. Continuamos cadelas, continuamos diabas, com a solidão nas costas.

Agora, tantos anos depois, me pergunto se algum dia tive esse diálogo com minha irmã no prédio sombrio da Buenos Aires.

O livro, aliás, ganhou o prêmio. Em novembro do mesmo ano, fui a San Luis Potosí para receber um certificado em letras douradas e um cheque que, junto com algumas poucas economias, pôde custear a viagem que me levou aos Estados Unidos no início do verão de 1988. Quando, meses depois, a primeira apresentação do livro aconteceu em El Cuervo, um bar no centro de Coyoacán, Liliana esteve lá.

Liliana sempre esteve lá.

[dói estar longe]

Uppsala, 14 de abril de 1988

Olá, Lili,

Minha menina,

Recebi sua última carta primeiro que a anterior, ou seja, a que você escreveu em 15 de março chegou em 13 de abril, e a de 23 de março chegou em 5 de abril; aliás, veio junto com uma da sua mãe, então me sinto muito bem em receber cartas toda semana. É muito bonito. Então, na ordem das datas em que você as escreveu, eu as comento, mas primeiro vou contar como estão as coisas por aqui neste lado do charco (o Atlântico). Já enviei meu primeiro trabalho para ser publicado, agora só resta aguardar porque nesse caso não há alternativa senão aguardar a decisão, se vão me aceitar ou não, enquanto isso continuo com os que seguem, felizmente aprendi algo, como escrever em inglês, não perfeito mas aceitável, porque o pessoal das *languages* tem que revisá-los para mim, e eles também passam pela revisão dos Umeru, meus orientadores, que têm um inglês muito bom e boas ideias, por que não dizer também. O que eu quero agora é deixar as coisas o mais adiantadas possível, isso significa deixar o trabalho completo caso eu vá para o México em junho e só volte para fazer o exame em setembro. Como você pode ver, os planos quase nunca saem bem nesses negócios de PhD. O clima na Suécia está melhorando. Há mais dias de sol. Ele sai às 5h30 e o pôr do sol é às oito da noite. São dias um pouco longos, mas são melhores do que no inverno, embora a temperatura ainda esteja entre 0 e 10 graus.

Bem, 30 de abril está chegando. Parabéns pelo Dia das Crianças. Tenha muito cuidado ao dirigir, se puder tirar a carteira é melhor, caso contrário, é recomendável que sua mãe te acompanhe ao dirigir. A vida universitária é assim, viva sua vida de estudante. O que me preocupa é a mudança de casa, gente nova, que às vezes não se conhece. Cuide-se bem nessa Cidade do México. É verdade que eu gostaria de estar aí para ajudá-la em algo. E, com seus amigos, estabeleça sempre as bases da convivência desde o início para que não haja mal-entendidos depois. E alimente-se bem, lembre-se dos problemas de estômago que você teve há algum tempo. Me dói estar longe de vocês. Estou fazendo todo o possível para voltar. Já faz muitos meses e quero te ver crescer e conversar sobre as coisas, falar de tudo, dos sucessos, dos problemas, das alegrias, das tristezas, dos estudos, de como você está se desenvolvendo. Realmente, agora que estou aqui há muito tempo, não sei se vale a pena. Quero obter esse diploma, mas o preço de ficar longe de vocês é muito alto. Nunca me passou pela cabeça fazer diferenças entre vocês e tenho certeza de que sua mãe também pensa assim. Então tire isso da sua cabeça. Cada indivíduo tem suas características muito particulares, mas é natural, o importante é justamente se conhecer e fazer todo o possível para compreender os outros.

Acho que todos nós, na nossa família, nos compreendemos e nos damos bem, então vá em frente. Eu entendo agora que na maioria das vezes você está fora de casa, mas também nesses momentos um pouco difíceis o indivíduo se forja, e esses momentos tornam-no mais forte para prepará-lo para a vida. Você tem seus princípios, você tem meu apoio, a vida se ganha com coragem, persistência, muita vontade e muito trabalho, mas a vida de estudante é uma das etapas mais bonitas, lembre-se de que você tem pais e uma irmã que te amam muito, mas muito. Seu pai, Antonio Rivera Peña.

IV

INVERNO

It's winter that makes people who they are.[14]

Yoko Tawada, *The Naked Eye*

[14] "É o inverno que torna as pessoas quem elas são." (N. T.)

[harrisburg trail]

Planejamos a viagem rapidamente. Pode-se ignorar por muitos anos, mas, uma vez que se queira saber, você quer saber tudo imediatamente. Uma pressa estranha, como se ainda fosse possível conseguir salvá-la, percorria a energia nervosa daqueles dias. Todos os alunos da universidade tinham o rosto dela, e vê-la ali, naqueles outros ombros, sob aqueles cabelos grossos, me provocava ataques de choro, que eu tentava esconder indo ao banheiro. Fui ao banheiro muitas vezes naquele semestre. Também tinha pesadelos. Sonhava que a assassinavam e, ao acordar com a respiração entrecortada, o suor na testa e uma forte pressão no peito, descobria que a realidade era pior: Liliana não estava comigo. Liliana estava havia trinta anos embaixo da terra.

Passamos o Natal de 2019 na casa de Houston. Meus pais chegaram com bastante antecedência, prontos para aproveitar aqueles dias visitando parentes, deixando de lado a dieta alimentar e contando histórias mil vezes compartilhadas. Rapidamente voltamos a um costume adotado tempos atrás: caminhar todas as manhãs até a Harrisburg Trail, uma pista originalmente para bicicletas que não fica muito longe de casa. O percurso demorava cerca de cinquenta minutos no ritmo lento de meu pai, que, além da hipertensão, já tivera uma trombose na perna direita. Embora animado e realmente forte para um homem de 84 anos, ele se sentava por um tempo num dos bancos ao longo do caminho, enquanto minha mãe e eu chegávamos ao final da pista e voltávamos para encontrá-lo em seu ponto de descanso. Num dia de muito sol, um dia em que os pássaros faziam um alvoroço inusitado entre os ramos dos carvalhos, um dia de esquilos enlouquecidos e cães soltos, eu lhes disse com muito cuidado, bem devagarinho, que estava tentando reabrir o processo de Liliana. O mundo parou por um momento. Um redemoinho sacudiu os galhos das árvores e encheu nossos cabelos de folhas secas. O cheiro das árvores de toranjas nunca foi tão forte. Alguma coisa estava para acontecer no auge do inverno. Meu pai sentou-se, exausto, mil vezes derrotado e, estendendo a perna direita no banco, disse: no que eu puder te ajudar. Minha mãe abriu os olhos, repentinamente umedecidos, e disse: a justiça deve ser feita.

Decidimos não fazer nada complicado para o jantar de Ano-Novo: compramos tortilhas de farinha e de milho e uma carne preparada com colorau e pinhas no Flamingoes, a loja de uma família da Índia que vende comida tradicional mexicana. Colocamos na mesa pratos dourados, guardanapos de linho, e pegamos a melhor travessa para comer tacos al pastor. No centro, pusemos o arranjo de flores brancas que eu tinha comprado semanas atrás, quando era apenas um monte de bulbos enterrados numa caixa de madeira. Ao lado dele, pela primeira vez, coloquei a fotografia de Liliana. É uma pequena moldura cor de cereja com detalhes em ouro antigo em que sua cabeça aparece banhada pela luz penetrante do inverno das terras altas. Seu cabelo é um puro cintilar através do tempo. Liliana está usando os óculos quevedianos[15]

[15] Pequenos óculos de formato oval, sem hastes, sustentados pelo nariz. O nome vem do escritor do século XVII, Francisco de Quevedo, que costuma ser retratado usando esse tipo de armação. (N. T.)

que escolhi para ela num mercado de pulgas da Cidade do México: pequenos óculos ovais cujas laterais estreitas foram habilmente esculpidas. Veste uma blusa de flanela enorme de cor verde-escuro que cai de seus ombros. Seus lábios estão a ponto de se abrir, menos para articular uma palavra e mais para respirar. Liliana olha diretamente para a câmera, com olhos que durante anos interpretei como de desolação. Ou confusão. Ou reprovação. Agora, olhando para a foto com o canto do olho durante o jantar, parecia-me que ela estava nos ameaçando de outro modo.

Pela primeira vez, falamos sobre ela em frases completas. Ao contrário do que eu esperava, nenhum de nós começou a chorar. Ninguém caiu de joelhos, à beira de desmaiar. As cenas surgiam uma após a outra, sem pressa. Um sorriso aqui. Um suspiro ali. Liliana como uma menina, perseguindo-me de cômodo em cômodo em nossa casa em Delicias, Chihuahua. Liliana nadando. O primeiro dia que ela foi para o jardim de infância. Liliana no Hospital Infantil, sofrendo de uma terrível infecção renal. O sorriso inimitável de Liliana. Seu amor. A maneira como ela esbanjou a riqueza de seu afeto sobre nós por tantos anos. Às doze em ponto colocamos, uma a uma, as doze uvas na boca. O desejo era o mesmo: que a justiça fosse feita. Então erguemos as taças e brindamos. Enquanto nos abraçávamos, quando não dava mais para segurar o pranto, pensei que isto era outra coisa que eu nunca tinha feito com minha irmã: brindar com álcool.

No dia seguinte, no meio de uma Harrisburg Trail quase deserta, um ciclista solitário atravessou nosso caminho. Sem dizer palavra, ele estendeu a mão para mim. Sem dizer palavra, ele me deu a entender que eu deveria pegar o envelope que estava me oferecendo. Hesitei por um momento. Antraz, pensei. Que outro veneno mortal é transmitido em envelopes lacrados? No final, aceitei porque queria dar uma lição à minha paranoia matinal. No momento em que abri, na hora em que tirei o cartão e descobri duas notas dentro, uma de vinte e outra de cinco dólares, o ciclista já havia sumido. Eu nunca soube por quê, entre os poucos caminhantes do novo ano, o jovem ciclista, de pele seca e mãos ásperas, me escolheu. Mas agradeci. Falei: Obrigada, Liliana. Como não pensar que agora tudo estava relacionado, de uma forma ou de outra, a você?

Via sua mão por trás do convite que eu aceitara, uns seis meses antes, para ministrar um curso intensivo na Casa Azul da UNAM no início de 2020. Via sua mão em como foi fácil para Saúl fazer os arranjos para que nos encontrássemos na Cidade do México em 9 de janeiro de 2020. Viver em luto é isto: nunca estar sozinho. Invisível, mas evidente de muitas maneiras, a presença dos mortos nos acompanha nos minúsculos interstícios dos dias. Por sobre o ombro, ao lado da voz, no eco de cada passo. Acima das janelas, na linha do horizonte, entre as sombras das árvores. Eles estão sempre lá e estão sempre aqui, conosco e dentro de nós, e fora, envolvendo-nos com seu calor, protegendo-nos das intempéries. Esta é a tarefa do luto: reconhecer sua presença, dizer sim à sua presença. Sempre há outros olhos vendo o que eu vejo, e imaginar esse outro ângulo, imaginar o que os sentidos que não são os meus poderiam apreciar através dos meus sentidos é, considerando todas as coisas, uma definição pontual do amor.

O luto é o fim da solidão.

[mimosas, 658]

Iríamos de novo para Azcapotzalco, esse era o plano. Saúl chegou à noite para me encontrar na Cidade do México e, bem tarde, bateu à porta do quarto que ficava no final de uma frágil escada de caracol nos fundos do hotel. Tudo bem?, disse ele. Pronta para amanhã? Devo ter sorrido para ele sem vontade e com apreensão, as duas coisas ao mesmo tempo. Ainda saímos em busca de algo leve para comer pelas ruas iluminadas da colônia Roma e, quando já estávamos para desistir, encontramos um restaurante japonês aberto. Quando foi que essa cidade se transformou nisso? O casal próximo a nós falava inglês, mas não era dos Estados Unidos. Havia um grupo de alemães. Todos eles, mesmo aqueles que se comunicavam num espanhol claramente chilango, eram muito brancos, com cabelos castanhos esvoaçantes. Todos tão jovens, além disso. Criticar meio mundo, até mesmo a comida, funcionou: nos relaxou e nos fez rir. No caminho de volta, antes mesmo de cairmos exaustos, observamos o céu da Cidade do México pela grande janela. Em alguma dobra daquela escuridão atravessada por luzes elétricas estavam as estrelas. As estrelas do passado que não era o passado. As verdadeiras estrelas.

Antes de empreendermos a viagem para Azcapotzalco, encontramos o advogado Héctor Pérez Rivera na colônia Narvarte em seu escritório da Associação pela Cultura dos Direitos Humanos. Eu o contatara em outubro, por indicação de uma amiga, para que se encarregasse de localizar o processo de Liliana nos intrincados caminhos da justiça, que são os caminhos infinitos da impunidade. Diante dos contínuos fracassos burocráticos que chegavam ao meu e-mail em forma de ofício com selos de cor violeta, decidimos registrar uma queixa junto aos Direitos Humanos em meados de dezembro, pouco antes de que o pessoal da Procuradoria de Justiça da Cidade do México saísse de férias. Se tudo corresse bem, logo teríamos uma resposta, disse-nos Héctor. Saúl olhou para ele com desconfiança quando se atrasou para o compromisso – aludindo como sempre ao trânsito demoníaco na capital, mas acrescentando o detalhe de que um pneu de sua bicicleta tinha furado – e fez-lhe várias perguntas. Héctor, que a princípio parecia estar com pressa, com a mente em outro lugar, respondeu às perguntas inúmeras vezes. Encontrar um processo depois de tanto tempo não seria fácil, mas também não era impossível. Como o termo feminicídio não existia em 1990, o caso havia sido registrado como homicídio simples, e não como homicídio qualificado, o que teria sido o correto, levando-se em consideração a incidência de traição e a relação pessoal entre os dois. Ele ficaria encarregado de enviar e receber toda a comunicação oficial e, por sua vez, investigaria discretamente em alguns outros tribunais e ministérios públicos da cidade. Quando nos despedimos, apertamos sua mão cordialmente, sentindo que, de uma forma ou de outra, chegaríamos ao processo desejado. Uma onda de otimismo tomou conta de nós naquela manhã, levando-nos direto para as ruas de uma cidade que nunca tínhamos deixado de amar. Talvez demais.

Dessa vez, decidimos pegar o transporte público para ir até Mimosas, 658, na colônia Pasteros, lugar onde Liliana viveu quase toda a sua vida de estudante da Faculdade de Arquitetura da Universidade Autônoma Metropolitana. Da rua de Mitla atravessamos um parque onde um grupo de mulheres dançava zumba e outras pessoas corriam por trilhas de terra com tênis da moda. Andamos em direção ao metrô Etiopía, onde entramos num vagão quase vazio rumo a Indios Verdes. Saímos onze estações depois, no Deportivo 18 de Marzo, e dali nos transferimos para a linha vermelha, onde só precisávamos viajar mais sete estações, agora na direção Rosario, para chegar a Tezozomoc. O percurso durou pouco mais de meia hora. Preciso ver onde ela estudava, dissera a Saúl numa manhã impossível em Houston. O lugar onde ela morava. As ruas pelas quais caminhava. As padarias em que ela comprava pão. Os lugares nos quais comia. Sua estação de metrô. Seu ponto de ônibus. Preciso ir deixar flores para ela em todos esses lugares, eu disse. E lá estávamos nós agora, naquela manhã seca, de muito sol, nos degraus desgastados de uma estação de metrô na qual Liliana, com certeza, já tinha posto os pés muitas vezes. Estávamos novamente na demarcação Azcapotzalco.

Seu apartamento ficava a apenas alguns quarteirões do metrô. Seguimos em frente na Ahuehuetes, uma rua larga, com as pistas separadas por um canteiro central arborizado, e viramos à direita na Mimosas. Era agora, como havia sido antes, um bairro de classe trabalhadora com casas de materiais, a maioria térreas, com artigos diversos, lojas de peças de automóveis e padarias. Um bairro populoso, mas não violento. José Manuel Álvarez, um colega da ENEP-Acatlán, soube que eu estava procurando um lugar seguro para minha irmã, que acabara de ser aceita na UAM Azcapotzalco, e se ofereceu para alugar-lhe uma parte da casa que ficava na parte inferior de sua própria residência, num prédio com apenas três andares e que ainda estava em construção. O local tinha o básico: sala de estar e jantar, um quarto, um banheiro, uma cozinha. Mas havia algo mais importante: Liliana poderia chegar à faculdade em cerca de quinze minutos, usando uma combinação bastante rápida de metrô e ônibus. O único problema era que a família usava o quarto como depósito pessoal, então Liliana teria que dormir na área originalmente destinada à sala de jantar. Nenhuma de nós achou isso um problema. José Manuel era casado e tinha dois filhos pequenos. Não havia outros inquilinos. Achei que minha irmã estaria protegida ali com eles.

As ruas são entidades vivas que mudam muito com o tempo. A numeração das casas era nova, estranha ao número 658 que estávamos procurando. Eu já tinha estado lá algumas vezes, mas minha memória falhava. Batemos em várias portas que ninguém abriu e perguntamos a um carteiro que vinha em sua bicicleta antes de finalmente apertar a campainha de uma fachada de terracota sobre a qual reluziam duas séries de números: 658 e 92A. Uma voz de mulher nos atendeu pelo interfone. Era difícil explicar o que estávamos fazendo ali: sou irmã de uma jovem assassinada aqui há trinta anos. Você poderia me deixar entrar? Eu não disse exatamente assim, mas dei a entender num longo discurso que se complicou com o passar dos minutos. Momentos depois, a garota apareceu, sem abrir o portão completamente. Sim, ela tinha ouvido algo. Sabia de alguma coisa. O quê?, perguntamos a ela. Não poderia nos dizer. Em vez disso, ela nos disse que seu chefe não estava lá e que ela não estava autorizada a nos deixar entrar. Eu estendi meu cartão para ela pela abertura e ela fechou novamente para fazer algumas ligações. Não demorou muito para ela voltar a entreabrir o portão de metal e nos informar que seu chefe estava prestes a voltar. Que o esperássemos, se quiséssemos. Quanto tempo? Meia hora. Nós sorrimos para ela. Já havíamos esperado uma eternidade.

Usamos esses minutos para caminhar pelos arredores. Exploramos as barracas do mercado, que ficava a apenas um quarteirão de distância. Fizemos fila na *tortillería*. Sentimos o aroma dos carrinhos de taco. Paramos numa loja de peças de automóveis, surpresos com a coincidência. Loja de Autopeças Acdelco, filial de uma rede que se estende por todo o país. Certamente aquele alto edifício de apartamentos com janelas brilhantes não estava aqui naquela época, Saúl apontou, e eu concordei. Quando já estávamos encostados num carro próximo ao portão, vimos que um homem de cabelos grisalhos saía pela porta ao lado e, sem pensar, corri atrás dele. Dei a mesma explicação apressada, algo confusa. Você se lembra de algo assim? Ele se recusou a apertar minha mão, mas mesmo assim parou no meio-fio. Saúl se juntou a nós e me pegou pelo braço. As ruas mudam, é verdade, mas não são desmemoriadas. Sim, ele disse, baixando a voz, como se estivesse se preparando para nos contar um segredo. A menina bonita. Tão boa gente. Ela comprava pão aqui, disse ele, no que era a padaria do meu pai, todas as manhãs a caminho da escola. Quando ele me viu olhar para um depósito de água, esclareceu: meu pai está doente e se desfez da padaria. É por isso que venho vê-lo. Porque está muito doente. E aí ele falou: ela era estudante da faculdade, né?

Você sabe o que aconteceu?, consegui perguntar a ele. Ele ficou em silêncio de novo, desconfortável. Baixou os olhos. Esmagou algum inseto imaginário com a ponta do sapato. Fez como se fosse se virar para ir embora, mas não moveu os pés na calçada. Foi o namorado dela, né? Nós o víamos direto por aqui. Ele tinha um carro preto e às vezes vinha numa motocicleta vermelha. Bem-apessoado, ele. Eu devia ter uns doze anos na época. Descobrimos pelo jornal. A polícia não veio? Foi há tantos anos. Me desculpe. Faz muito tempo que não penso nisso. Ela era boa gente, de fato. Sempre cumprimentava todo mundo. Até a gente, as crianças, que jogávamos futebol na rua. Que triste tudo isso. Quando ofereci meu cartão e disse meu nome, pedi o dele. Me desculpe, ele respondeu, sinceramente lastimado. Mas tanta coisa aconteceu por aqui. Os sequestros, você sabe. Os assassinatos. Você não dá mais seu nome assim.

O dono do prédio que se erguia atrás do portão na rua Mimosas, 658, um engenheiro magro, de voz serena e modos amáveis, não demorou a aparecer. Não tivemos de lhe dar muitas explicações para que nos deixasse passar. É sempre estranho pôr os pés no espaço dos mortos. Aquele leve tremor na base da hipoderme: uma vibração feita de pura carne que, já nos ouvidos, se transformava num leve ruído. Um zumbido. O trajeto intransigente das formigas pelo sistema nervoso e, um pouco depois, pelo sistema circulatório de todo o corpo. E a pressão sobre o peito. Movemo-nos com muito cuidado, como se tudo à nossa volta fosse de cristal muito antigo. Avançamos como quem caminha dentro de um território sagrado.

O arquiteto Fernando Pérez Vega, amigo de Liliana durante seus anos na UAM, desenhou de memória a planta de uma casa que, muito rápido, se tornou um ponto de encontro útil para amigos e companheiros de grupo. Como não ficava muito longe do campus, iam para lá fazer trabalhos e, quando terminavam o semestre, lá festejavam com cervejas, um pouco de rum barato, muitos cigarros. Ali ficavam acordados e ouviam música até tarde, sempre preocupados com o volume porque a família Álvarez, que morava no segundo andar logo acima do espaço de Liliana, não gostava de barulho. Às vezes, os mais próximos ficavam para dormir lá. Era uma casa austera, apenas com o necessário. Conforme combinado, Liliana colocou o colchão e o *box spring* de casal rente ao chão na área que correspondia à sala de jantar. Para compensar a falta de armário, pintou caixotes de madeira numa cor lavanda, empilhando roupas e sapatos neles. Com o tempo, ela fez uma pequena estante, onde arrumou seus livros mais queridos, caixinhas de estanho cheias de papeizinhos e mensagens, caixas de madeira com algumas pulseiras e brincos, canetas. Com o tempo, foi enchendo as paredes de pôsteres. Sua prancheta, que ela colocou ao lado da única janela do local, perto da veneziana de vidro, ocupava quase toda a área do cômodo. Ela tinha um banco; talvez algumas cadeiras. E nada mais. Raramente usava a cozinha, que era grande e escura, com uma barra de concreto interrompida por uma pia de aço inoxidável e um fogão de quatro bocas. Uma pequena porta de metal e vidro fosco se abria para um pátio interno através do qual um pouco de luz do sol entrava de cima. Liliana tinha alguns pratos e uma coleção de copos irregulares. Tinha xícaras de café e cinzeiros, para onde iam as pontas dos muitos cigarros Raleigh que fumava com devoção, com gosto e até com disciplina. Do outro lado do pátio interno abria-se a janela do banheiro, espaço também mínimo para o chuveiro e o vaso sanitário. Uma jovem, que ajudava os Álvarez nos trabalhos domésticos, dormia durante a semana num aposento contíguo a esse quarto-depósito, cuja entrada dava para o pátio comum, diretamente para a porta da frente.

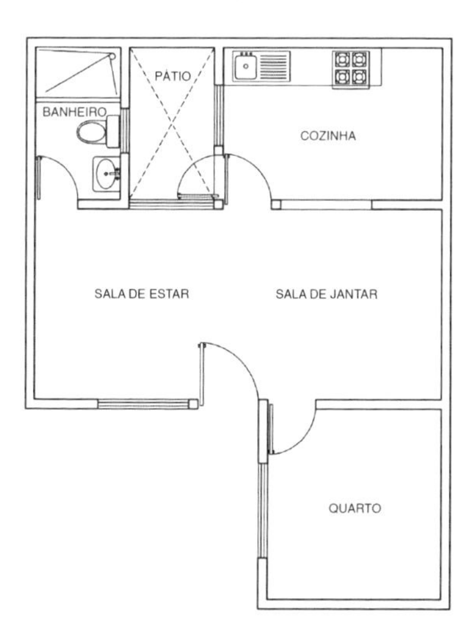

Minha tia Santos, que até hoje goza de uma merecida fama de visionária e curandeira no bairro popular que mora em Houston, disse que sonhou com Lili na noite em que foi assassinada. Foi um sonho inquietante, do qual despertou sem fôlego. Ela ainda podia discernir bem a disposição de uma casa que nunca conheceu. Ela se via avançando lentamente por um corredor externo, que ligava o portão com a porta de entrada do apartamento por um pátio interno não muito grande, e de lá, através de uma veneziana de vidro, ela pôde ver que minha irmã balançava os braços e as pernas como se não conseguisse acordar ou como se pedisse ajuda. Ela abriu os olhos, contava, antes que pudesse ajudá-la.

O proprietário do imóvel e as duas secretárias nos deixaram perambular pelo que agora era o escritório de sua construtora. Comprara-o há apenas cinco anos, precisamente de José Manuel Álvarez, que havia se divorciado na época. E o que mudou desde que você o comprou?, perguntou Saúl, percorrendo o prédio com o olhar e passando as mãos nas paredes que estavam perto dele. Está tudo mais ou menos como eu recebi, disse ele sem hesitar, a estrutura está do mesmo jeito que a encontrei, só reformei ou acabei as partes incompletas do imóvel. Como os andares de cima, né?, eu disse. Como os andares de cima, ele confirmou. Ele não se opôs a que tirássemos fotos. Mas quando perguntei se ele sabia da tragédia que acontecera ali, ele negou. A secretária que antes dissera que tinha conhecimento da história ficou em silêncio.

[os corações vivos não se esquecem dos corações mortos]

O sistema educacional da Universidade Autônoma Metropolitana foi inaugurado no início de 1974, como resposta direta à pressão exercida pelo movimento estudantil de 1968, especificamente depois da repressão brutal de

2 de outubro. Com cinco campi distribuídos na enorme área urbana da Cidade do México – Cuajimalpa, Xochimilco, Iztapalapa, Lerma e Azcapotzalco –, essas sedes públicas atenderam não só à demanda gerada em diferentes áreas de uma cidade que crescia a um ritmo vertiginoso, mas também se apresentaram como uma alternativa inovadora, de vanguarda, a outras instituições de ensino superior. Utilizavam um meteórico sistema de trimestres e, ao invés de atribuir notas com base em aulas individuais, adotaram um método pedagógico transversal que privilegiava o ensino interdisciplinar e o trabalho em equipe. Se ir de qualquer parte do interior para a capital do país implicava uma mudança drástica de paisagem, velocidade, vida, ir de um colégio tradicional, em cujas esplanadas às vezes vagavam vacas, a um campus de generosas dimensões com extensos jardins que acentuavam os pontos de encontro deve ter sido brutal. Liliana deve ter sido feliz aqui, falei assim que pus os pés na movimentada esplanada que levava direto à biblioteca.

Não nos tomou mais do que vinte minutos para ir da rua Mimosas até as portas tubulares de cor laranja do campus da universidade, primeiro de metrô, e depois num coletivo que esperava do lado de fora da estação UAM. Compartilhamos o espaço estreito do veículo com alunos que carregavam longos mapas enrolados, jovens com fones de ouvido, mulheres com filhos. Há quanto tempo não ouvíamos Yuri cantar sua "Maldita primavera"? E descemos onde todo mundo desceu. Tivemos de escrever nossos nomes num enorme caderno de capa vermelha para entrar, e também deixamos nossas identidades oficiais lá. Uma funcionária muito eloquente descreveu-nos em detalhes o que deveríamos fazer para chegar à Faculdade de Arquitetura. A agitação encheu o ar de repente. As risadas. As gargalhadas.

O fragor de corpos juntos, colidindo uns com os outros. A fumaça de muitos cigarros. Havia faixas exigindo o impossível e cartazes que anunciavam ciclos de cinema ou a visita extraordinária de um especialista internacional. Acima de tudo, havia energia. Algo desencadeado. Uma vivacidade nervosa, muito ágil, se emaranhava e se desenredava dos troncos das árvores em alta velocidade e era regada, então, ao redor das esculturas públicas, passava pelas janelas, por baixo das portas, entre as barracas nas quais vendiam cigarros soltos, eletrizando o ambiente por completo. Liliana estava ali. Sua presença. Inteirinha. O que é que se acende no cérebro quando acreditamos que de um minuto para o outro aparecerá à nossa frente o que perdemos o tempo todo?

O edifício de Arquitetura apareceu como que por encanto por trás dos refeitórios. Uma pequena exposição fotográfica e algumas mesas com livros à venda nos receberam na entrada. No centro da faculdade, reluziam as mesas de trabalho, rodeadas por fileiras de armários entreabertos. Havia estudantes por todo lado. Grupos de jovens de cabelos compridos e jeans conversavam placidamente, discutiam fazendo pausas, soltando gargalhadas de vez em quando. Olhe, disse Saúl. Pudemos espiar as salas de aula vazias: a luz do inverno transpassava as grandes janelas, iluminando em seu caminho as inúmeras pranchetas de madeira organizadas por filas. Os corações vivos não se esquecem dos corações mortos, diziam as letras do mural que decorava o espaço da escadaria com grandes flores coloridas e imagens dos estudantes de Ayotzinapa, desaparecidos em setembro de 2014 no estado de Guerrero. A Faculdade de Arquitetura estava na universidade, mas também no mundo. Ficamos um pouco atordoados, ouvindo a algazarra e observando, no movimento dos corpos, seu corpo em movimento. Seu corpo vivo entre os outros corpos.

Um jovem taciturno fumava um cigarro sozinho na ponte que ligava o segundo andar do prédio ao prédio seguinte. Parecia que ele contemplava o que estava acontecendo lá embaixo, mas na realidade estava olhando para dentro, apenas para si mesmo. Quando passamos às suas costas, ele se virou para nos ver com o canto do olho. Um sorriso triste, um sorriso que estava ali por uma eternidade, pendurado em seus lábios, preso num rosto que de outra maneira seria amável, quase belo, nos advertiu de que não estávamos sozinhos. Qualquer cara obcecado por controle deveria ter pavor de um campus como este, disse a Saúl enquanto seguíamos em frente. Qualquer predador obcecado em limitar a liberdade de uma garota deve ficar com medo ou com raiva daqui. Os estudantes retumbavam em grupos que mudavam de forma a cada segundo. Células em contínua expansão. Eles avançavam e paravam levemente. Eles se conectavam e desconectavam sem qualquer aviso. A luz de janeiro atravessava a atmosfera e caía vertiginosamente sobre as folhas das árvores, produzindo cintilações que davam à atmosfera um sopro irreal. O tempo se detinha e explodia ao mesmo tempo, multiplicando-se no ato. Lá estava Liliana, em outro inverno, com a luz do mesmo sol ardendo em sua pele. Lá ia ela, correndo, tentando chegar a uma aula insuportável na hora certa. Essa era ela, mexendo nas pontas do cabelo, encostada no muro de pedra de um dos pátios. Sua voz, eu podia ouvir sua voz em todos os lugares. O eco de sua risada. O campus é exatamente o oposto do panóptico, mencionei a Saúl, pensando que estava dizendo algo novo. Ele apertou minha mão direita e riu. Nenhum olho solitário poderia vê-lo completamente. Ninguém poderia abarcá-lo em sua totalidade.

Entramos na biblioteca e vasculhamos entre as estantes, procurando as teses de Arquitetura dos anos 1990.

Achávamos que assim poderíamos obter uma lista de colegas de turma de Liliana que, até então, nos eram completamente desconhecidos. Interrompemos uma reunião da qual participava um professor, antigo colega meu da ENEP-Acatlán, para pedir-lhe orientação na burocracia universitária. O mestre Saúl Jerónimo, diretor da área de Humanas, nos pôs em contato com Martín Durán, responsável pelos históricos escolares, e com o escritório da sra. Rocío Guadalupe Padilla Saucedo, chefe do departamento de Assuntos de Gênero. Fomos lá na hora do almoço, e nos atenderam com gentileza e presteza, sem se importarem com o fato de já não estarem, em sentido estrito, no horário de trabalho. Embora Martín Durán tenha concordado em pesquisar o histórico acadêmico de Liliana no sistema de computadores, ele esclareceu que não poderia compartilhá-lo por questão de privacidade pessoal. No último minuto, quando já estávamos prontos para sair de seu escritório, desanimados, ele nos contou que sua média vinha aumentando com o tempo e que, no momento em que seus dados foram interrompidos, na verdade era muito boa. O que eu gostaria de fazer, disse à sra. Padilla poucos minutos depois, já em outro escritório, é uma celebração. Seu rosto sereno e aparentemente inexpressivo não conseguia ocultar os mecanismos velozes de sua imaginação. Eu gostaria de criar um espaço na UAM Azcapotzalco no qual se comemore a presença da minha irmã, sua passagem por essas salas de aula, por esses corredores, por esses jardins. A presença, acrescentei, de outras meninas massacradas. A presença de qualquer jovem que sobreviveu, ou não, à violência de gênero. Eu gostaria, ia continuar, mas a sra. Padilla me interrompeu: vamos pensar juntas em como fazer isso. Vamos trabalhar juntas nesse projeto.

V

LÁ VAI UMA MULHER LIVRE

[laura rosales]

Como não vou me lembrar dela, se foi a primeira pessoa a falar comigo no meu primeiro dia na faculdade? Ela estava lá quando cheguei à sala de aula: seus cabelos longos e lisos, seu sorriso franco, e aqueles braços e pernas tão compridos. Era tão alta. E muito feminina, embora não usasse um pingo de maquiagem. Liliana era muito bonita, mas agia como se não soubesse ou como se, sabendo, não desse muita importância a isso. Seu senso de humor era mais chamativo do que sua beleza: ela zombava de tudo e todos de uma forma leve e festiva; seu sarcasmo era muito fino, muito agudo, e acertava o alvo. Liliana era uma garota especial.

Eu vinha do CBTIS[16] da Magdalena Contreras, um sistema de ensino técnico que a UNAM não reconhecia oficialmente naquela época, então não tive escolha a não ser me inscrever na UAM. Me recomendaram que eu não me inscrevesse em Arquitetura, porque era um curso muito concorrido, e era melhor tentar em Desenho Industrial, no qual quase ninguém se inscrevia. Fiz isso e, quando fui aprovada no final de outubro, fiquei muito feliz.

---

[16] Centro de Bachillerato Tecnológico Industrial y de Servicios: ensino médio técnico. (N. T.)

Nós duas logo ficamos amigas. Assistíamos às aulas juntas e fazíamos trabalhos em grupo. Emprestávamos livros uma à outra. Conversávamos muito, como fazem todas as garotas, na cantina, nos corredores quando tínhamos pressa, na esplanada em frente à biblioteca. Liliana passava muito tempo entre essas prateleiras. Uma vez ela me confessou que fazia as tarefas ali, mas ali também devorava os romances de Agatha Christie, por exemplo. Ela estava sempre lendo alguma coisa: romances, poesia, contos. E também lia o *La Jornada* todos os dias, o jornal de esquerda, ou o que nos parecia de esquerda na época. Ela era nerd, sem dúvida. Uma nerd muito simpática e amigável, se é que algo assim pode existir.

Eu me hospedava na casa de uma tia, perto da universidade na colônia Clavería, e uma manhã a convidei para almoçar. Minha família a adorou, e poderíamos ter ficado conversando por horas, mas ela teve que ir embora logo porque nos primeiros dias de faculdade ela morava num lugar muito distante e muito feio do qual ela não gostava nada. Depois encontrou uma coisa melhor mais perto da escola, uma casa muito grande na avenida Granjas, onde ocupava muito pouco espaço. Mais tarde se mudou para o apartamento na Mimosas, aonde eu ia de vez em quando. Liliana era muito mãezona dos seus amigos: ela os mimava, os protegia, até os alimentava. Mas era uma mãe travessa. Quando eu ia à sua casa, ela abria a geladeira vazia e me mostrava com um gesto malicioso um litro solitário de cerveja. Então íamos fazer compras no mercado local e, na volta, ela me dizia: sente-se, Laura, vou te fazer o melhor pão francês que você já provou na vida. O mesmo dizia das latas de atum ou das laranjas. Sempre havia uma alegria festiva, muito leve, em torno dos seus atos, como se ela tivesse um grande prazer em estar viva.

Não demorei a perceber que Liliana era uma menina nobre, muito devotada ao que fazia, à escola e principalmente aos amigos. Quando Liliana gostava de você, ela gostava muito. Gostava demais.

Fiquei algumas vezes para dormir lá na Mimosas, sempre às escondidas da minha família, porque não tinha a mesma coisa que ela: uma liberdade própria, uma independência que ela defendia com unhas e dentes, uma autonomia real. Seus pais lhe davam uma quantia em dinheiro todos os meses e, embora a visitassem de vez em quando, na verdade ela era dona dos seus dias e noites. Para mim, Liliana era rica: tinha dinheiro para comprar os materiais que nos pediam, que costumava adquirir na papelaria Lumen, e tinha o suficiente para comer onde quisesse e até para comprar o jornal todo dia. Mas ela era disciplinada com seus gastos. Apesar da aparente desordem, havia uma ordem em tudo que ela fazia. Às vezes eu a via andar pelos corredores da escola e murmurava para mim mesma: lá vai uma mulher livre. Tinha uma grande admiração pela sua inteligência e sua força. Ela estava sozinha na Cidade do México, mas enfrentava tudo sem reclamar, com grande curiosidade, sem ter medo ou se intimidar pelo perigo. Eu não era tão livre ou tão corajosa. E me sentia orgulhosa por ela ser minha amiga.

Juntas nos tornamos cidadãs, votando pela primeira vez nas eleições de 6 de julho de 1988, quando todos acreditávamos que Cuauhtémoc Cárdenas derrubaria o PRI, pelo menos na Cidade do México. Nós duas nos sentimos realmente muito importantes quando votamos, como se agora já fôssemos adultas. E quando o sistema caiu e a corrupção nos deu mais do mesmo, quando a fraude eleitoral nos decepcionou completamente, com ela fui pela primeira vez a uma marcha. Seu espírito rebelde se encantou pelo fato de eu demonstrar interesse em participar também, então combinamos na mesma hora. Nos encontramos na escola e de lá pegamos o metrô até o centro histórico. De algum lugar, retiramos algumas faixas e começamos a entoar os *slogans*: Vamos tirar o Careca[17] pelas orelhas. O que nós queremos? Democracia. Quando queremos isso? Agora. Apoiávamos Cárdenas, é claro, como muitos jovens da nossa geração. Éramos apenas meninas de dezoito anos, mas lá íamos nós com todos os outros, pedindo o impossível, pois o que mais se pode pedir com essa idade?

[raúl espino madrigal]

Você fez o ensino médio em Toluca?, perguntei-lhe timidamente na primeira vez que criei coragem para me aproximar dela. Seu sorriso enorme, luminoso, me desarmou. O som da sua risada. Sim, Raúl Espino Madrigal, ela me respondeu na hora, até me surpreendendo. Eu não tinha ideia de que ela sabia meu nome completo, mas logo me explicou que ainda se lembrava de Javier, meu irmão, com quem ela tinha estado na mesma equipe de natação em Toluca. Eu a reconhecera de longe desde o primeiro trimestre, mas não consegui me aproximar até que frequentássemos a mesma aula de Operatória, no terceiro trimestre do currículo comum, quando a UAM já havia conseguido acertar um pouco os calendários afetados pela greve de 1987. Deve ter sido

[17] O "Careca" é Carlos Salinas de Gortari, presidente do México de 1988 a 1994. No dia das eleições, 6 de julho de 1988, houve uma falha no sistema informático (*se cayó el sistema*) e, quando por fim voltou a funcionar, Salinas foi declarado vencedor. Apesar de comumente se afirmar que sua vitória foi legal, a expressão *se cayó el sistema* é considerada um eufemismo para "fraude eleitoral". (N. T.)

lá por junho de 1988. Você está fazendo Design Gráfico?, perguntei a ela depois de uma longa e incômoda pausa. Ela sorriu de novo, percebendo perfeitamente que eu estava muito nervoso. Você acha?, ela disse, fingindo que meu comentário a havia ofendido. Estou fazendo uma faculdade de verdade, acrescentou ela, apenas meio brincando. Assim começou uma rotina curiosa entre nós: Liliana criticava estudantes de Design Gráfico, uma carreira nova na época, e eu defendia uma profissão que amo até hoje.

Todos os estudantes da Divisão de Ciências e Artes para Design faziam parte do mesmo núcleo comum nos primeiros três trimestres. Uma vez que passávamos nessas disciplinas, então íamos cursar as do nosso próprio curso: Arquitetura, Desenho Industrial e Design Gráfico. Foi então, nessa transição, que percebi que estava me apaixonando por Liliana. Nos cumprimentávamos e conversávamos um pouco quando nos encontrávamos na universidade, mas eu queria mais. Queria conhecê-la melhor, passar um tempo com ela, fazer coisas juntos. Pensava muito nela; passava muito tempo fazendo planos para encontrá-la "por acaso" na faculdade, mas nada parecia funcionar. Como nós dois íamos para Toluca nos finais de semana, para a casa dos nossos respectivos pais, pegando o mesmo ônibus na estação Observatório, sugeri várias vezes que fizéssemos a viagem juntos, mas ela hesitava. Convidei-a várias vezes para ir ao cinema, mas ela sempre me dizia que não tinha tempo. Então, depois de muita insistência, finalmente aconteceu. Liliana disse que sim.

Era um domingo. Ela voltou cedo de Toluca e nos encontramos no metrô. Não havíamos decidido onde comer e Liliana sugeriu que comprássemos algo e comêssemos no seu apartamento. Adorei a ideia. Era muito mais do que eu esperava: não só passaria a metade do dia com ela, mas também entraria no seu lugar mais privado, perto dos seus objetos, no seu próprio mundo. Ainda não estava acreditando até que pegamos o metrô e compramos mantimentos e abrimos a porta de um pequeno apartamento, sem muita luz e um pouco úmido, que ela tornava agradável com o uso da cor e alguns toques pessoais. Com as coisas que compramos no supermercado preparamos algo bem básico, como atum com verduras. Também tínhamos comprado uma lata de pêssegos em calda para a sobremesa. E ainda a vejo abrir a lata meticulosamente e mergulhar os dedos na calda para pegar o primeiro pêssego direto da lata. Eu fiz o mesmo, incentivado pelo seu exemplo. Adorei a simplicidade, a espontaneidade e até a doçura daquele momento descontraído.

Tínhamos planejado ir ao cinema depois de comer. Era a estreia de *Mississippi em chamas*, e fomos vê-lo no cinema da Plaza Universidad. Foi divertido ver o contraste entre famílias, casais e nós, que andávamos lado a lado no shopping. Gostamos muito do filme e falamos dele quando saímos. Fomos tomar sorvete e, enquanto conversávamos, levei o assunto para um lado mais pessoal. Foi um ótimo dia, disse a ela. Adorei estar com você, acrescentei. Eu também lhe disse que ela era muito inteligente e, já passando dos limites, disse que gostava dela. Posso aprender muito com você, eu disse, pegando a frase de uma música de Emmanuel, um cantor pop da moda. A melhor parte foi que ela aceitou muito bem. Também me acontece que penso em ti, em ti penso, disse-me ela, fazendo um complicado jogo de palavras baseado numa canção de Joan Manuel Serrat, o cantor catalão que tinha musicado versos de Antonio Machado. Fiz um comentário sobre nossas diferenças, de como minhas referências eram de Emmanuel e as dela de Serrat, mas tudo bem. Ela sorriu, como se estivesse longe. Ela sorriu, como se estivesse espiando de um lugar onde eu não podia alcançá-la. Parecia serena, mais do que lisonjeada, e vagamente interessada. Fiquei com a impressão de que tinha sido um bom começo.

[ana ocadiz]

Posso experimentar sua coalhada?, ela me perguntou um belo dia, do nada. Estávamos na cantina, uma de frente para a outra, e, embora comêssemos juntas, Lili parecia estar pensando em outra coisa. Já tínhamos nos visto e até conversávamos um pouco, mas não nos conhecíamos bem o suficiente para comer do prato uma da outra. Fiquei um pouco surpresa com seu pedido, mas também me agradou. Eu disse que sim. Que ela podia experimentar. E, em seguida, Liliana enfiou o dedo indicador direto no prato e chupou-o com prazer. Que audácia. A cena me deixou tremendo, entre divertida e horrorizada. Ninguém nunca tinha feito nada parecido na minha frente, e ninguém fez novamente desde então, mas a alegria que tomou conta de mim naquele momento era verdadeira e nova. A euforia. Um relâmpago. Algo completamente indecifrável. Lili me olhou com cautela depois disso, como se esperasse por um veredicto. Eu a observei por um longo tempo enquanto ela ficava em silêncio. Devo ter sorrido em algum momento, porque de repente ela relaxou. Parecia que havia sido libertada de algo pesado. Era como se ela tivesse descansado de algo que a estava incomodando. Caímos na gargalhada.

Isto nós fazíamos muito juntas: rir. Ríamos de nós mesmas e dos outros. Tirávamos sarro dos professores, de certas músicas, de alguns colegas, das novelas do canal 2. Na verdade, passamos a assistir novelas só para ter o prazer de tirar sarro delas. Um prazer perverso, porém. Sua ironia era infinita. Seu senso de humor. Seu gosto pela leitura a fazia ter uma visão muito pessoal das coisas. Liliana era inteligente e, ainda mais: era luminosa. Nós fazíamos uma boa dupla. Naquela época eu morava perto do lago de Guadalupe, que ficava longe de quase tudo, e muitas vezes dormia na casa dela. Era como uma festa do pijama contínua: fofocávamos, fazíamos nossas tarefas, consertávamos o mundo. Reclamávamos de tudo. E ríamos de tudo, também.

Liliana mergulhando o dedo numa coalhada durante nosso terceiro ou quarto trimestre na UAM. Às vezes eu volto a essa imagem, a esse enigma. Se eu me afasto o suficiente, ainda posso vê-las através das grandes janelas da cantina: lá estão as duas garotas, rindo alto, deixando para trás todos os protocolos da seriedade. Elas mal se conhecem, mas já construíram um mundo à parte apenas para as duas. Um mundo em que são absolutamente livres. A felicidade é tão real, tão feita de carne, que pode ser roída. Elas ainda estão lá, imóveis, maravilhadas uma com a outra, sabendo que o futuro as espera.

Liliana é o nome que dei à minha liberdade.

[laura rosales]

Certa vez, Lili me convidou para passar um fim de semana em Toluca e aceitei com muito prazer. Chegamos à casa dela e, como não havia ninguém, fomos até a casa do namorado dela, que se chamava Ángel. Na ocasião não o conheci, nem o vi porque Liliana entrou muito rápido para pegar as chaves de um Fusquinha branco, no qual íamos passear. Vou te levar para conhecer um lugar mágico que você nunca vai esquecer, disse ela com sua animação costumeira quando entramos no carro. Uma expectativa cautelosa cresceu dentro de mim. Dirigimos até os arredores da cidade numa estrada estreita de duas pistas margeada por salgueiros. Almoloya de Juárez. Uma fonte sagrada atrás de uma igreja colonial. Havia crianças se banhando nas águas curativas de um riacho. Mulheres com xales enrolados na cabeça lavavam roupas à mão. Você vai ver algo incrível, ela me avisou quando nos aproximamos. Prepare-se, disse ela. Mantenha a mente aberta. Pusemos as mãos no gradil de ferro que cercava a nascente e esticamos o pescoço. Alguns peixes coloridos deslizavam morosamente entre as algas. Algumas moedas douradas nos olhavam do fundo da água: vestígios de tantos desejos do passado. As nuvens pesadas se detinham, trêmulas, na superfície calma da água. Olhe bem, disse ela. Se você prestar atenção, vai ver uma linha na água. Como uma linha na água? Levei muito tempo para distinguir o que ela também descreveu como um fio de cabelo que separa a água suja da água limpa. Quando finalmente a detectei, começamos a rir. Foi um momento mágico. Um dos muitos momentos mágicos que, Liliana tinha razão, eu jamais esqueceria.

Dava para perceber que Lili estava começando a dirigir, ou que não estava acostumada com aquele carro, porque ele morreu várias vezes no caminho de volta. Era um daqueles carros com câmbio manual, em que é preciso apertar a embreagem para engatar a marcha. Mas conseguimos chegar sãs e salvas para entregar o carro em boas condições e de lá voltamos para sua casa. No final, fomos juntas para a Cidade do México de ônibus. Depois vi o mesmo carro algumas vezes no estacionamento da universidade, ou dentro do coletivo quando eu estava chegando ou saindo da faculdade. Achei que o menino que o dirigia fosse aquele Ángel que eu não conhecera em Toluca.

Numa segunda-feira, Lili chegou andando com dificuldade na escola. O que aconteceu com você?, perguntei, pensando que ela havia caído. Liliana respondeu evasiva, desanimada, tentando dizer algo que eu não conseguia entender. É que o Ángel, ela disse. O Ángel o quê?, me atrevi a perguntar. Ela já me confidenciara antes que, desde que tinha começado a faculdade, Ángel ficara mais ciumento do que o normal. Ele havia sido reprovado no vestibular, então não teve escolha a não ser trabalhar no comércio da família, que ficava em Toluca. Liliana estava preocupada que ele se sentisse inferior a ela. Este era seu caráter: ela sempre se preocupava com a dor dos outros. O Ángel o quê?, insisti. Foi então que ela me deu a entender que ele a machucara. Não sabia se podia fazer outra pergunta ou se era melhor ficar quieta. Sexo não era um assunto tão fácil de abordar na época. Muitas garotas transavam com o namorado, isso era comum, mas falar sobre o assunto abertamente, pelo menos entre nós, não era. Dentre as coisas que ela disse, concluí que no dia anterior ela tinha ido à casa de Ángel, que tomaram banho juntos e que tiveram relações sexuais. Eles estavam cochilando quando ele a acordou, insistindo que fizessem sexo de novo. Liliana não disse explicitamente que ele a forçou, mas me disse que no final ele se desculpou com ela. Em outra ocasião, ela chegou com um braço enfaixado. Quando lhe perguntei, ela me disse que havia escorregado na banheira e se machucado num vidro quebrado. A explicação me parecia razoável, mas mesmo assim fiquei com dúvidas. Algo estava acontecendo, mas eu não entendia o que era. Sua alegria, seu senso de humor, aquele jeito dela de andar pela escola como se o mundo lhe pertencesse, logo dissiparam minhas dúvidas. Pouco tempo depois, Lili me disse que havia terminado com Ángel, mas que ele não aceitava. Ele fica me puxando, Laura, dizia ela, literalmente agarrando meu braço e imitando o movimento que suas palavras descreviam. A marca da sua mão no meu braço ficou avermelhada e demorou muito para desaparecer.

[manolo casillas espinal]

Não quero ter namorado, ela declarou um belo dia a todos que quisessem ouvi-la. E por quê?, perguntei-lhe, como se não me importasse. Porque depois os homens acreditam que a gente é propriedade deles, disse ela. E eu não vou aceitar isso. Não combina comigo. Eu não tinha insinuado e muito menos perguntado nada, mas ela deve ter percebido que eu a desejava com todo o meu coração. Ela podia ler nas entrelinhas, a mim e a todos os outros. Tinha essa capacidade de saber com certeza o que mal víamos sobre nós mesmos. Eu me apaixonei por ela à primeira vista quando nos conhecemos na mesma turma no quarto semestre, quando começamos a ter aulas de Arquitetura propriamente ditas. Liliana era extrovertida, muito sociável e simpática. Acima de tudo, era muito direta. Ela podia até magoar às vezes, mas também era encantadora, então aprendemos a apreciar sua franqueza. Sua honestidade: um dos seus valores favoritos. Sempre teve uma maneira única de lidar com a linguagem. Falava para todos nós como se viesse de um lugar ao qual mal nos dirigíamos. E eu ansiava por aquele lugar que ela deixava para trás para estar aqui no mundo conosco.

Logo começamos a fazer trabalhos no mesmo grupo. A faculdade sempre foi muito exigente, por isso era comum estudarmos à noite ou nos fins de semana e, como sua casa ficava perto de tudo, tornou-se nosso ponto de encontro.

Lá íamos nós, à rua Mimosas, 658, para fazer mapas ou construir modelos em escala ou compartilhar anotações. Assim, aos poucos, fui aprendendo a apreciar a maneira como Liliana abordava a arquitetura, como ela dava rédeas à imaginação para inventar soluções engenhosas para problemas de design ou de projetos. A arquitetura fluía dentro dela, não era algo intuitivo, mas orgânico.

Se eu fechar os olhos, ainda posso vê-la claramente. Lá vem ela, olhe: seus longos cabelos lisos, brilhando ao sol, movendo-se da esquerda para a direita enquanto ela caminha, quase sempre com pressa pelas esplanadas da escola. Muito alta, muito esguia, muito à sua maneira. Sua jaqueta de couro preta e a mochila nas costas. Uma rebelde. Uma leitora. Uma intelectual. A garota que não quer ter namorado.

[othón santos álvarez]

A maneira como ela contava histórias. Deve ter sido no segundo ou terceiro trimestre, quando já estávamos cheios de projetos em comum. Estávamos atrás da escola, na área das famosas quesadillas na hora do almoço. Mordiscávamos a comida e a escutávamos ao mesmo tempo: Liliana estava contando uma história rocambolesca sobre uma visita de fim de semana que fizera às Pirâmides de Teotihuacán. Ela estava explodindo de tanto rir e nós, ao seu redor, ríamos sem parar. Na verdade, estávamos chorando de tanto rir e, através daquelas lágrimas de alegria, eu a vi bem ali, no centro das nossas atenções: a líder do nosso grupo, sem dúvida; não apenas a mais inteligente, mas também a mais focada e madura entre nós. Sempre tão brincalhona.

Nós queríamos passar nas matérias, nos preparar bem para obter um bom emprego e ganhar algum dinheiro, mas Lili, por outro lado, sempre se interessou por muitas outras coisas. A arquitetura não era apenas uma profissão para ela, e sim uma forma de explorar o mundo material que nos cercava. Um mundo que, além disso, sempre tinha marcas dos mundos do passado. Tudo que estava relacionado às nossas raízes a atraía. Ela amava o centro histórico, por exemplo. Não perdia a oportunidade de visitar ruínas ou pirâmides com sua inseparável câmera à mão. Liliana gostava muito de arquitetura e era boa no que fazia. Ela projetava e desenhava de uma forma extraordinária. Certa vez, um professor organizou um concurso para projetar um mercado: o design, a fachada, a distribuição do espaço. E Lili ganhou, é claro.

Mantivemos uma amizade muito estreita, principalmente devido aos trabalhos em grupo. Como na casa de Lili, onde nos reuníamos, havia apenas uma prancheta disponível, só um de nós podia desenhar. Quando precisávamos fazer maquetes, por exemplo, muitas vezes eu tinha que levantar as paredes e, nesse ínterim, o encarregado de abrir as janelas tirava um cochilo. E assim íamos indo. Nos revezávamos para dormir. Passávamos fins de semana inteiros assim, meio adormecidos, convivendo muito de perto. É por isso que o relacionamento entre todos se tornou tão íntimo. Logo éramos família, mais do que amigos. Mesmo assim, havia coisas das quais era melhor não falarmos, questões de política, por exemplo. Ou sobre aquele namorado misterioso de Liliana que vinha de Toluca para vê-la.

Trabalhávamos muito e bem, mas também éramos bons para beber cerveja. Assim que acabávamos algum trabalho, fazíamos a vaquinha clássica para comprar os litrões. Então colocávamos um pouco de música, geralmente trova ou algum rock em espanhol, e lá ficávamos no apartamento de Lili, contando piadas, conversando sobre de onde vínhamos ou para onde queríamos ir.

Tudo parecia tão aberto para nós.

[gerardo navarro]

Eu devo tê-la conhecido no terceiro trimestre e a partir daí convivemos muito. Tornamo-nos bons amigos. Liliana não era uma garota comum. Usava aqueles jeans surrados, nada femininos. Nem um pingo de maquiagem. Prendia o cabelo num rabo de cavalo e sempre usava óculos redondinhos dourados, estilo John Lennon. Meio filósofa, meio escritora, meio maluca: ela estava sempre anotando coisas e nos enchia de recadinhos. Notava-se que ela gostava de escrever. Ao contrário de mim, que tinha de despender muita energia na universidade, Liliana não parecia se esforçar muito para fazer as coisas funcionarem para ela. Aprendia bem rápido. Era inteligente e, mais do que isso, astuta.

Tomei meu primeiro porre no seu apartamento. Tínhamos terminado um trabalho difícil, um projeto em grupo, e nos encontramos lá para comemorar. Fizemos uma vaquinha para comprar umas garrafas de cerveja e um pouco de rum, e entre isso e os cigarros, o tempo foi passando. Éramos tão nerds que não fumávamos maconha e nem pensávamos em chegar perto da coca, que era uma droga de ricos, e menos ainda do ácido. Passamos um tempo assim, bebendo e conversando, brincando muito e, quando percebi, não conseguia parar em pé. Acho que vomitei. Que pena.

[ángel lopez]

Nós nos conhecemos na aula, mas nos tornamos mais amigos por causa do cigarro: eu fumava a marca que aparecesse, e ela fumava uns Raleighs fedorentos de que ninguém gostava. Que foi, garoto?, ela me dizia em forma de cumprimento quando nos encontrávamos nos corredores da escola. Era uma menina superdetalhista: ela nos surpreendia com cartas, bilhetes, desenhos. Tinha uma letra invejável, muito única, como toda ela. Seu estilo particular. Simples e meio hippie e, sim, muito bonita. Achei que ela nem fosse falar com a gente porque nós – Manolo, Othón, Gerardo e eu – éramos do grupo dos pobretões. E, claro, notava-se que não tínhamos grana. Fazíamos nossos trabalhos com materiais baratos, do tipo que se compra na papelaria da esquina, e não em locais especializados em arquitetura. Talvez por isso nos sentássemos no fundo e no canto da sala de aula, onde os professores não conseguiam nos ver muito bem, e podíamos descansar ou cochilávamos. Um dia Liliana se sentou perto de nós e descobrimos que ela era muito legal.

Eu gostava muito de Liliana, assim como Manolo. Um dia, enquanto nós dois conversávamos, chegamos à conclusão de que ele tinha mais chances de conquistá-la, até porque morava mais perto dela, também em Azcapotzalco. Eu morava naquela época no norte da cidade. E a verdade era que ele estava mais interessado nela do que eu. Com o tempo, Liliana tornou-se muito amiga de Ana, e andavam juntas por toda parte, embora Ana estivesse com Fernando. Ou melhor: ficou um bom tempo com Fernando enquanto andava de um lado para o outro com Liliana.

Um dia, em 13 de janeiro, ela me fez um bolo de aniversário.

[norma xavier quintana]

Nós duas gostávamos de usar preto. Você estava lendo a *Seleções*?, ela me disse uma vez, incapaz de esconder sua surpresa e decepção. Eu vinha de um colégio religioso e o UAM foi um choque cultural enorme para mim. Eu a notei já desde o terceiro trimestre, porque ela andava de calças de brim com cores pastel, muito ao estilo da banda Flans. Além disso, ela era muito alta. Comecei a me aproximar dela um pouco mais tarde, quando mudei para o período da tarde. Eu tinha sido reprovada em Estruturas, e Liliana não queria fazer a aula de Instalações com o professor que dava essa disciplina de manhã. Naquela época, seu cabelo estava comprido e ela tinha trocado as cores pastel pelo preto. Nunca tirava sua famosa jaqueta de couro, como um motoqueiro. Uma vez me propôs um desafio: veríamos qual das duas aguentaria usar a mesma calça por três semanas. Sem lavá-la. Nenhuma de nós conseguiu.

Naquela época, comecei a fazer com ela algo que nunca tinha feito antes: sair da aula. Saíamos para tomar um café ou nos recostávamos em alguma parede e passávamos horas conversando. Ela tinha inúmeras coisas para contar. Dizia que, depois da faculdade, queria ir para a Inglaterra com Ana. Que esse era seu plano. Falávamos dos professores. Ela estava ajudando um professor com uma pesquisa histórica. Lia uns livros, fazia alguns resumos e os entregava em datas específicas. Se ela não tivesse mencionado, eu não saberia que isso era possível: ser assistente de um professor. Então decidi ser também.

Ela sempre afirmava que era preciso suspeitar das redes de televisão.

Por meio dela conheci os membros daquele grupo de trabalho, que mais parecia uma família. Liliana, sua líder indiscutível. Se ela dissesse algo, era aquilo que fazíamos. O bom é que ela gostava de fazer as pessoas se sentirem bem. Mas não era hipócrita. Se ela se afeiçoasse, daria a vida por você; se não, nem mesmo se dignava a lhe dirigir o olhar. Quando fazíamos trabalhos juntas, ela punha muito uma fita cassete do U2, adorava especialmente a música "With or Without You". Ela a repetia um monte de vezes até que o resto de nós se cansasse e a obrigasse a escutar outra. Ela gostava de companhia. Na verdade, não era incomum que ela pedisse aos amigos para não deixá-la sozinha. E ela era muito clara a esse respeito: quando os convidava para ficarem na sua casa, era porque queria ter alguém por perto. Nada mais. Eu tinha um carro naquela época, que costumava emprestar a ela. Eu lhe dava as chaves e Lili o deixava estacionado de volta no lugar combinado. Um dia, ela me confessou que amava o Patolino.

Ficamos bem próximas lá pelo quinto trimestre. Eu tinha um namorado que era de Cuernavaca e alugava um quarto numa casa na Cidade do México. Lá morava também uma garota com quem ele começou a sair. Quando descobri a traição, comecei a chorar na sala de aula. Lili se aproximou e me abraçou. Não vale a pena, disse ela, e me entregou um papelzinho: "E no meio de um inverno, finalmente aprendi que havia dentro de mim um invencível verão". Este é o seu inverno, acrescentou. E isso vai passar. Não chore por ninguém.

[leonardo jasso]

Os professores gostavam muito dela. Uma delas, aliás, pedia a Liliana que a acompanhasse enquanto ela ia de prancheta em prancheta, avaliando nossos projetos. Assim que terminava seu comentário, a professora pedia a Liliana uma avaliação. Uma vez, quando se aproximaram do meu local de trabalho, Liliana foi dura comigo. Cuidadosa, mas dura. Contudo, além de torná-la interessante, isso me fez gostar mais do estilo dela. Eu a paquerei por um tempo. Queria que ela fosse minha namorada. Mas eu procurava uma namorada à moda antiga, com as mãozinhas suadas, e Liliana tinha ideias bem diferentes sobre todas as coisas. Dizia, por exemplo, que a Bíblia era um livro de histórias divertidas e que o namoro era apenas uma forma de disfarçar o desejo de posse dos meninos. Ela não acreditava nisso de forma alguma. Não acreditava em namoro.

Não me dei por vencido tão facilmente. Aproveitava todas as oportunidades para falar com ela. Foi assim que eu soube que ela tinha sido nadadora, o que explicava seu corpo forte, embora seus ombros não fossem largos. Ela era muito inteligente, com certeza. Com uma média muito boa. Pensei que fosse porque ela vinha de uma família de profissionais. Ela me falava muito sobre o pai, que estava fazendo ou tinha acabado de fazer um doutorado; e da irmã, que estava estudando algo nos Estados Unidos. Eu também adorava o cabelo dela, liso e brilhante. Uma vez nos encontramos em Toluca, não me lembro se a surpreendi lá, onde sabia que ela ia passar o fim de semana com os pais, ou se combinamos e ela foi me buscar na rodoviária. Acho que falei com ela por telefone sem avisar e insisti que nos encontrássemos. Ela chegou num carro velho e me levou para visitar uma nascente em Almoloya de Juárez, onde, por mais que eu tentasse, não consegui distinguir a famosa linha que, segundo suas explicações, separava a água suja da água limpa da nascente. Depois ela me levou para um campo próximo de lá. Meus pais uma vez me trouxeram para acampar aqui, ela me disse. Era uma zona cheia de pinheiros e *oyameles*, onde ela gostava de ir para passar alguns momentos sozinha.

[emilio hernández garza]

Ah, como aquela garota gostava de ir ao cinema. Convivemos muito quando eu tive uma cafeteria na demarcação Álvaro Obregón por cerca de um ano e meio. Ela ia lá, supostamente para me ajudar no caixa, embora na verdade fosse um pouco pela companhia e um pouco para ganhar um dinheirinho cobrando a comida. Quando ela ia embora, quase sempre levava um maço dos seus horríveis cigarros Raleigh. Mas nunca foi desrespeitosa. Nunca se aproveitou do fato de sermos primos. Iliana, minha companheira na época, e Liliana se davam bem. Elas fumavam e conversavam enquanto eu me ocupava com o trabalho da cafeteria, observando-as de longe.

Ela tinha cada tirada. Uma vez combinamos de nos encontrar no parque Tezozomoc, perto do metrô. Ela estava demorando a chegar e eu, sem perceber, adormeci no banco. Quando ela me acordou, rindo muito, disse-me que tinha tirado umas fotos de mim assim, como um bêbado qualquer na grande Cidade do México. Sempre andava com sua câmera pendurada no pescoço por toda parte, tirando fotos de edifícios antigos, paisagens desoladas, gente apressada cruzando as ruas da capital, ou primos dormindo em público.

Nosso negócio era organizar maratonas de filmes. Aos domingos, quando voltávamos cedo de Toluca, ou quando meu tio a trazia numa hora boa, combinávamos de nos divertir no cinema. Pegávamos o metrô na estação Observatorio até a Tacubaya, de lá fazíamos a baldeação para a San Pedro de los Pinos até chegar aos cinemas de Plaza Reforma. Éramos viciados. Aproveitávamos qualquer dia mais ou menos livre para ir ao cinema e assistir a filmes o dia todo, às vezes desde as dez da manhã. Parávamos para tomar um coquetel de frutas gigantesco no mercado e depois íamos para a sala escura. Mais tarde, comíamos num lugar de carnitas que eu gostava muito lá em Reforma, acho que se chamava Kioskito, embora também fôssemos comer tacos no Castelo de Chapultepec. Não perdíamos os filmes do Festival Internacional de Cinema. Com ela, vi *A Festa de Babette* e *Sorgo vermelho*. O último filme a que assisti com Liliana foi *Olhos negros*, com Marcello Mastroianni.

[raúl espino madrigal]

Você quer vir passar a noite na minha casa?, Liliana me perguntou. Eu tinha certeza de que ela havia dito isso, mas achei que a ouvira mal. Ela falou em voz alta, com todas as letras, mas eu ainda não conseguia ouvi-la direito. Nada havia me preparado para algo assim. Voltávamos juntos de Toluca naquele fim de semana, depois de muita insistência da minha parte. Tínhamos nos encontrado no terminal de ônibus de Toluca e, quando chegamos à Cidade do México, ofereci-me para acompanhá-la até a estação de metrô Tezozomoc. Ou talvez fosse a Aquiles Serdán, as duas ficavam tão perto de casa. Tínhamos nos divertido muito, conversando e brincando enquanto deixávamos as florestas de pinheiros das montanhas para trás, e mesmo depois, quando tentávamos encontrar nosso caminho entre as estações sempre lotadas. Estávamos prestes a nos despedir quando ela me perguntou aquilo. E fiquei tão surpreso que meu queixo caiu, sem saber o que dizer. Liliana sempre teve essa qualidade: me deixava sem palavras. Ela podia dizer as coisas mais doces e as coisas mais cruéis com a mesma facilidade, nada com ela era no meio-termo.

Ainda perplexo, enquanto milhares de coisas passavam a toda a velocidade pela minha cabeça, ela terminou com a frase: "prometo que não vou te estuprar". Assim, com aquela simplicidade, e ao mesmo tempo tão franca, Liliana acabou enfiando a questão sexual na equação de forma quase natural. Uma jogada de mestre. Ainda assim, eu não queria me arriscar. Ela e eu não estávamos muito bem naquela época e, embora tivéssemos nos divertido muito naquela tarde, preferi dizer a ela que as tias com quem eu morava no parque Hundido estavam me esperando para jantar. Para minha surpresa, Liliana insistiu. Eu não quero ficar sozinha, ela finalmente admitiu. Vamos, fique em casa. Se quiser, peço permissão às suas tias. Eu não conseguia acreditar no que estava ouvindo. Ainda não conseguia acreditar que tinha tanta sorte. Aceitei, é claro. Mas nada mais vai acontecer, ela me garanti. Eu não tinha nenhum problema com aquilo.

Naquela noite conversamos sem parar enquanto nos preparávamos para nos estender juntos no seu colchão de casal, que ficava no chão. Em algum momento, entre uma história e outra, perguntei se podia acariciar suas costas. Ela fez uma pausa, considerando a questão com um gesto grave. É uma decisão muito importante, disse ela. Pelo que pode implicar, acrescentou. Mas aceitou, de qualquer maneira. Depois de um tempo, mudamos de posição e ela acariciou minhas costas. Passamos muito tempo conversando entre abraços e beijos. Aquela era minha definição de paraíso. Não me lembro como veio à baila o assunto de que eu nunca tinha tido relações sexuais, o que me envergonhava um pouco, mas era verdade. Que interessante, disse ela, sem prosseguir. Confessei que não tinha tido nenhum relacionamento significativo e que não estava realmente interessado no sexo em si. O que eu quero é amor, disse a ela, estar apaixonado. Liliana me olhou com seus enormes olhos tristes, quase sem piscar. Isso é perfeito, eu assegurei a ela. Achei que haveria tempo para algo mais, quando fosse apropriado. Não queria pressioná-la. Não queria que ela se sentisse desconfortável comigo. No diário que tinha começado há pouco tempo, escrevi, talvez com mais otimismo do que o necessário, que finalmente já éramos alguma coisa, não exatamente namorados, mas alguma coisa; e que haveria tempo para que nosso relacionamento fosse plenamente concretizado, também no plano do amor físico.

Acordar ao lado de Liliana era a realização de um sonho. Ela deixou um rosário de beijos nas minhas costas no início da manhã. Bom dia, disse ela, com seu grande sorriso. Eu estava exultante, certo de que finalmente havíamos passado para o próximo estágio como casal, mas logo percebi que não. Levantei cedo e fui correndo para a universidade porque tinha aula cedo e quando voltei a vê-la na escola, ela estava distante de novo e não permitiu que eu me aproximasse.

Assim era a relação com ela, de altos e baixos, de picos de afeto e proximidade esporádica.

[iliana gonzález rodarte]

Nunca conversamos tanto, muito menos sobre coisas pessoais, mas, pelas horas em que estávamos juntas na cafeteria do Emilio e por quando ela nos visitava na nossa casa em San Lorenzo Acopilco, fiquei com a ideia de que Liliana sabia muito bem o que estava acontecendo no mundo. Ela se interessava por política. Fumava muitos cigarros enquanto falava de cinema, mas também de música. Uma vez nos contou que havia participado de um coro de uma música do Café Tacvba, uma banda de rock progressivo que se originou lá, na UAM. Como se parecia com sua mãe! Quando os visitávamos em Toluca, sempre gostei do tratamento gentil e elegante da sua mãe. A louça. As xícaras de café. As estantes altas. Eu gostaria de ter falado mais com ela sobre sua vida íntima. Se tivesse feito isso, se ela tivesse dito algo para mim, é claro que eu teria compartilhado com seus pais. Talvez seja por isso que ela nunca tenha falado.

Liliana chega assim à minha mente: o jornal debaixo do braço, os óculos de intelectual.

[ana ocadiz]

"*Lucha de gigantes / convierte / el aire en gas natural. / Un duelo salvaje / advierte / lo cerca que ando de entrar. / En un mundo descomunal / siento mi fragilidad*".[18] Essa música nos deixava loucas. Sempre púnhamos o acento na palavra "fragilidade". A minha. A dela. E então falávamos sobre nossa força juntas. Não me lembro exatamente quando, mas Liliana me emprestou um livro que ela tinha lido quando era muito jovem e se tornou uma leitura fundamental para ela: *Milena*, de Margarete Buber-Neumann. Um livro de capa preta muitas vezes manuseado. O livro contava a história desta escritora e ativista exemplar, Milena Jesenská, que infelizmente ou felizmente agora é mais lembrada como a amante de Franz Kafka, a quem ela de fato amou muito. A história começa e termina no campo de concentração onde Margarete e Milena se conheceram e, apesar da desgraça e da tragédia, apesar da fome e do frio, apesar da cruz dos tempos, tornaram-se amigas íntimas. Ficávamos surpresas com a forma como ambas desafiaram o autoritarismo e a hostilidade do seu ambiente com um amor pleno e leve. Milena, cujo nome significa amada, desobedecia mais por hábito e menos por princípio a todas as regras do campo de

[18] "Luta de gigantes / converte / o ar em gás natural. / Um duelo selvagem / avisa / como estou perto de entrar. / Num mundo descomunal / sinto minha fragilidade". (N. T.)

concentração: em vez de se guardar, ou se esgueirar no mato ou no isolamento, esbanjava uma determinação que às vezes parecia simples estupidez. Mas este era o seu dogma: o amor.

Liliana não só se identificava com uma mulher para quem a amizade era uma máxima pessoal, alguém para quem se dar significava dar tudo, embora também exigisse tudo em reciprocidade, mas também reconhecia no livro o ambiente em que vivíamos que, às vezes, em nossos momentos mais sombrios, equiparávamos a um campo de concentração. Éramos tão limitadas, ou melhor, as expectativas para nossa vida eram tão estreitas que muitas vezes nos sentíamos como se estivéssemos numa camisa de força. E não estou falando dos nossos pais. Falo de tudo, no geral. Você tinha que se comportar de certa maneira. Você tinha que dar pouco e com medida. Você tinha que calcular a proximidade e os ganhos. Liliana, ao contrário, amava a vida, a rua, o cinema, os amigos, a arquitetura, Manolo, eu, até Ángel. Esse era seu superpoder; e esse também era seu calcanhar de aquiles.

Eu li o livro de uma sentada e fiquei tão impressionada que, quando tive minha primeira filha, muitos anos depois, lhe pus aquele outro nome de Liliana: Milena. Aquelas éramos nós na época, as meninas de Milena. Suas aprendizes. É isso que todos nós nos tornávamos ao redor da Liliana, independentemente de sermos homens ou mulheres.

"*Creo en los fantasmas terribles / De algún extraño lugar / Y en mis tonterías / para hacer tu risa estallar / En un mundo descomunal / Siento mi fragilidad*".[19]

---

[19] "Acredito nos fantasmas terríveis / De algum estranho lugar / E nas minhas bobagens / para fazer sua risada estourar / Num mundo descomunal / Sinto minha fragilidade". (N. T.)

VI

FANTASMAS TERRÍVEIS DE ALGUM ESTRANHO LUGAR

[leticia hernández garza]

Ela conheceu Ángel quando entrou no colégio. Não gostou dele no começo, mas ele a fazia rir falando um monte de besteiras. Era divertido. Ele a convidava para ir ao cinema. E lhe dava flores. Dizia que não podia viver sem ela. Era solícito: oferecia-se para levá-la no seu Fusquinha vermelho aonde quer que ela tivesse de ir. Sua insistência acabou dominando-a. E, perto do final do colégio, eles se tornaram namorados de verdade.

Mas Ángel era muito ciumento. Fazia cenas por qualquer coisa. Certa vez, ele fez um drama gigantesco porque um colega de natação deu alguma coisa para Liliana e ele não aguentou. Aos poucos, ela percebeu que ele era muito pegajoso e controlador. Deu nela um primeiro empurrão, acho que um tapa, quando eles já estavam saindo há cerca de um ano como amigos. E Lili parou de falar com ele por muito tempo. Não sei como ou por que ela voltou para ele. A princípio Liliana viu aquilo como um jogo, um tanto inofensivo, um sinal da impetuosidade dele, mas quando ela entrou na universidade, ele ficou mais violento. Liliana estava ampliando seu mundo e conhecia pessoas que ele não podia supervisionar. Seu mundo, o dela, estava virando de cabeça para baixo. E o dele ainda era mais ou menos o mesmo. Ángel era violento com ela com frequência. Ela também era, mas nunca é a mesma coisa. Os dois se tratavam com violência, mas a força de um homem é diferente.

Além disso, dizia-lhe que era gorda.

[raúl espino madrigal]

Eu estava prestes a sair quando a vi correndo pelos corredores. Estava esperando por ela há quase uma hora e já estava com medo de que ela tivesse me deixado plantado. Estava começando a ficar chateado, pensando que não conseguiríamos ver o filme a tempo. Mas fui encontrá-la, e aí?, perguntei. Ela se desculpou profusamente e explicou que tivera um contratempo. Disse que havia recebido uma visita inesperada. Como eu ficava chateado porque ela nunca me contava direito o que estava acontecendo, perguntei se era um parente. Então, quando ela recuperou o fôlego, me disse que era um cara que tinha vindo do passado. Não me lembro exatamente das palavras que ela usou para se referir a ele, mas não o chamou de "meu ex-namorado" ou usou seu nome. Em vez disso, enunciava termos genéricos como "alguém com quem houve histórias", ou "alguém que pertence à história" ou "alguém que apareceu do passado". Entre o fato de ela não querer contar mais detalhes e eu também não querer perguntar, já que não queria ouvir respostas que envolvessem outro homem, fiquei em silêncio.

Depois que nos acalmamos, ela me disse que não tinha tido outra escolha. Que esse cara veio à sua casa e que não tinha lhe dado a chance de fazer nada. Que ela teve de ouvi-lo. O sujeito estava muito alterado e ela teve que tranquilizá-lo. Você deveria ter mandado esse cara para o inferno, Liliana, eu disse a ela. Já tínhamos nossos planos. Por que sou eu que tenho que ficar sozinho aqui, esperando por você? Ela não me respondeu. Parecia perdida dentro de si mesma. Por fim, perguntei a ela: o que está acontecendo com esse cara? Ela me olhou diretamente nos olhos. Já te disse, é alguém que pertence ao passado, repetiu. Alguém que já pertence à história e que não significa nada para mim. Estamos no presente, Raúl, acrescentou. O passado não pertence ao presente, então não conta.

Mas logo depois ela admitiu que tinha sido algo mais sério. O cara estava usando "uma daquelas coisas que disparam balas", e essa frase eu me lembro literalmente porque me chocou. Liliana acompanhou a revelação com um gesto peculiar: apontou o polegar e o indicador de dentro da jaqueta. Fiquei paralisado, com a cabeça girando. Passei da raiva pelo atraso à consideração séria do que ela estava me dizendo em questão de segundos. Eu me preocupei com ela e perguntei se estava bem. Ela assentiu. Pelo que entendi, a ameaça era machucar a si mesmo. Suicidar-se, você quer dizer?, perguntei-lhe, apenas para ter certeza de que estava entendendo. E ela voltou a assentir. Por isso teve de esperar que ele se acalmasse e, assim que pôde, foi me encontrar, pois sabia que eu a estaria esperando.

Não perguntei o que ela tinha feito para acalmá-lo. Não perguntei onde esse homem estava ou para onde ele tinha ido. Não me ocorreu olhar em volta para ver se ele não estava escondido atrás de alguns arbustos.

Foi tudo muito estranho nesse momento. A mistura de raiva com ciúme não me deixava entender de quem estávamos falando. Como foi que, do nada, tal sujeito apareceu? E, ainda mais, que implicações isso tinha para a vida dela ou para a minha com ela? A questão da arma era um assunto à parte. É claro que aquilo era absolutamente estranho para mim. Nunca tinha tido o menor contato com algo semelhante, nem da maneira mais remota. Era algo que simplesmente não existia no meu mundo. Uma arma. Alguém com uma arma na cidade. Fiquei chocado que Liliana estivesse envolvida em algo assim, mas ela me disse então que não tinha problema, que tudo estava sob controle. Tem certeza?, perguntei-lhe. Sim, ela me disse.

E eu acreditei nela.

O que a gente vai fazer, então?, nos perguntamos depois de um tempo, percebendo que ainda estávamos ali, sentados no corredor de uma escola quase vazia àquela hora. O importante é que você está bem, eu lhe disse. Sorrimos com relutância, como se tivéssemos corrido uma maratona e estivéssemos com muita sede. Olhamos para o relógio e nos perguntamos o que poderíamos fazer para aproveitar o resto da tarde. Levantamos mais ou menos na mesma hora e saímos correndo para o cinema, sabendo que chegaríamos atrasados para o filme. A mudança foi repentina. De repente já estávamos correndo, cruzando a cidade numa combinação de metrô, ônibus e táxi, e encontramos meus amigos nas primeiras filas do cinema. Vimos uma parte de *Acusados*, com Jodie Foster, que estreara naquela semana. Deve ter sido março. Sim, março de 1989.

[norma xavier quintana]

A única vez que ouvi falar de um namorado dela foi Ángel. Bem, tenho de corrigir: um ex-namorado, não o namorado dela. Acho que nunca o vi pessoalmente. Sabia que ele às vezes a levava para a casa em Toluca, que às vezes passava para pegá-la na universidade e, às vezes, a esperava no pequeno apartamento da Mimosas. Realmente não sei se vi apenas uma foto dele, mas me recordo da sua aparência. Ele andava numa moto vermelha, muito barulhenta. Ou num sedã preto. Um carro compacto. O que me lembro é que era um relacionamento que ela queria terminar, mas não conseguia. O cara era muito insistente. Ela estava, ou parecia estar, com Manolo, mas Ángel ainda insistia que ela era sua namorada. Nunca vi nenhuma cena de violência entre os dois.

[ángel lopez]

Encontrei Ángel algumas vezes. Um cara esquisito. Nunca tivemos uma conversa direta. Ele chegou à faculdade certo dia e eu o vi de longe. Alguém me disse que se tratava do amigo de Liliana e deduzi que era, ou tinha sido, seu namorado. Mas ela nunca o apresentou a nós como tal, como seu namorado. Ele nunca esteve em nenhuma das festas que organizamos no apartamento de Liliana. Ele nunca fez parte, nem de longe, dessa vida que Liliana levava aqui conosco. Ela era muito discreta. Mesmo quando estava com Manolo, muito depois, era assim: nada de beijos e abraços, nada de dar as mãos. Nada de nada.

[othón santos álvarez]

Não sou bom em várias coisas, mas sou um bom observador. Quando via alguém do grupo meio abatido ou arrasado, deixava uma mensagem, uma frase de encorajamento, um verso. Lili era como eu, então trocávamos pequenos papéis e recados o tempo todo. Certa vez tentei comentar sobre Ángel, mas ela imediatamente me interrompeu. Ela era franca e faladora, mas também impunha suas barreiras. A prepotência de Ángel chamava minha atenção, toda aquela coisa da moto, sua atitude como um todo. Eu não gostava nada dele. Ele estacionava a moto no apartamento de Lili, deixava-a no pátio central. Uma vez, quando ele fez isso, percebi que carregava uma arma. Eu era de Necaxa, no estado de Puebla, e minha família costumava portar armas, então logo reconheci a protuberância que se formava atrás da sua calça, por baixo da jaqueta de couro, que além disso era muito justa. Fiquei alarmado e perguntei a Lili sobre a arma, tentando preveni-la, mas ela descartou minha preocupação e me disse que não sabia de nada. Ele era o típico cara que mal nos cumprimentava e, se ficasse conosco, se isolava, observando-nos de longe com desconfiança. Ou, se ele via que íamos nos atrasar, desaparecia por uma hora ou mais e voltava quando já estávamos de saída. Ele nunca fez qualquer tentativa de conviver conosco. Nunca fui com a cara dele. O sujeito desapareceu por muito tempo, e foi então que Lili ficou com Manolo por dois trimestres. Eu só o vi algumas vezes na faculdade. Esperava Liliana no estacionamento e depois saíam naquela moto barulhenta, os dois sem capacete.

[gerardo navarro]

Liliana não era nada namoradeira. Na verdade, nunca a vi com ninguém. Andávamos todos grudados para todo lado: para fazer tarefas, para ajudar uns aos outros nos projetos, até para organizar festas. Aquele Ángel às vezes ia buscá-la na escola às sextas-feiras, quando ela tinha que voltar para Toluca. Essa era a única coisa que eu sabia sobre ele: era o cara que às sextas-feiras pegava Liliana numa moto muito chamativa, muito barulhenta, para levá-la à casa dos pais. Só o vi umas três vezes e em nenhuma delas presenciei cenas de ciúme ou violência entre eles. Talvez seja porque ele ficava muito pouco, era um cara que estava só de passagem. Liliana, por sua vez, nunca falava dele; nem o mencionava. Era como se ele não existisse, ou como se fosse um fantasma. Liliana, de qualquer forma, era muito reservada. E, sim, conversávamos muito, mas sobre escola ou cinema, de que ela gostava tanto, ou brincávamos, mas raramente falávamos sobre coisas tão pessoais. Se não estava com todo o grupo, Lili andava sempre com Ana, às vezes com Fernando. Normalmente com os dois.

[leonardo jasso]

Encontrei-o uma vez quando acompanhei Liliana ao apartamento dela. Tínhamos saído da aula e eu queria continuar conversando com ela, então me ofereci para acompanhá-la ao metrô. Para que não aconteça alguma coisa com você no caminho, brinquei, e ela riu. E, sem pensar muito, fizemos nosso caminho juntos. Descemos na estação Tezozomoc e eu, como queria ficar perto dela, ia andando devagar, fazendo-a falar de qualquer coisa. Íamos pelo canteiro central e, depois, chegamos à rua Mimosas, e aí viramos à direita. Ele estava esperando por ela num carro preto. Parei quase por instinto, hesitei, mas Liliana me disse que não tinha problema, que Ángel era um amigo. Um amigo de Toluca. E quase me puxou pelo cotovelo para avançar do seu lado. Quando saiu do carro, Ángel olhou para mim com grande desconfiança e, embora apertasse minha mão, senti um clima muito pesado. Eu até senti que tinha que dar uma explicação a ele, coisa que não fiz. De qualquer forma, eu a acompanhei até a porta do seu apartamento e lá ainda conversamos um pouco.

Naquele dia, entendi que Liliana não era livre.

[ana ocadiz]

Eu vi Ángel várias vezes e convivi com eles basicamente sempre aqui, na Cidade do México, exceto uma vez que fomos para Toluca com ele, de ida e volta, uma "escapadela" porque nem meus pais nem os pais dela souberam que saímos. Sempre convivi com ele quando Lili estava presente. Não que eu me desse bem ou mal com ele, o tratamento era apenas cordial. Não me lembro por que ele me deu de presente uma fita cassete, embora eu ache que foi porque a música estava na moda, mas na fita ele acrescentou uma foto sua em tamanho de passaporte, que mais tarde foi usada pela polícia para identificá-lo. Você sabe que é com carinho, ele escreveu no verso da foto.

Certa vez, nós o acompanhamos para entregar adesivos de verificação veicular que eram falsos. Lembro-me de ter ficado com medo, tanto Lili quanto eu sabíamos que era ilegal, e também achava que isso nos tornava cúmplices, mas nós duas nunca conversamos sobre isso. Nunca dissemos: Ángel é um falsificador; mas pensamos isso. Havia uma sensação constante de risco ao seu redor. Não consigo explicar muito bem, mas ele exalava um sentimento persistente que inspirava temor. Agora, com a perspectiva dos anos, vejo que éramos crianças, sem experiência nem malícia, e que confundíamos aquele medo com cumplicidade, até mesmo com confiança. A sensação de que ele era possessivo provinha, em primeiro lugar, da sua aparência física: embora não fosse alto, era forte e se fazia notar. Por exemplo, todo mundo olhou para ele quando ele foi à faculdade, quando entrou no prédio de Design. Sem ser chamativa, sua presença não passava despercebida. Havia separações e reconciliações entre eles, mas não sei quem se afastava ou como acontecia o reencontro. Tenho a impressão de que ele ficava telefonando e insistia e, até certo ponto, a chantageava com a ameaça de se ferir. Foi dele a ideia de esvaziar os pneus do carro de Manolo, porque ficou sabendo que ele estava interessado em Liliana, para que ele entendesse que precisava se afastar.

[emilio hernández garza]

Conheci Ángel em Toluca. Perto da casa onde os pais de Lili moravam, no pequeno parque do outro lado da rua. Eu estava saindo do táxi e, ao longe, vi que Liliana e um cara gorducho e loiro, com shorts de ciclista, estavam discutindo. Ele empurrava repetidamente o peito dela, forçando-a a recuar. Corri até eles, o afrontei e ele caiu. Ele quis revidar, mas naquela época eu era um touro. Liliana pediu que eu não batesse nele, dizendo que era seu namorado. Aquele cara já tinha sido namorado dela no colégio, mas eu não o conheci na época. A gente se acalmou um pouco antes de caminharmos em direção à casa, pois ele havia deixado sua bicicleta apoiada na cerca. Ele ainda não tinha ido embora quando zombei de Liliana porque o cara era um verdadeiro anão. Como você pode andar com esse traste, prima?, disse-lhe. O cara se encrespou de novo, mas teve que se acalmar. Então entramos em casa e não falamos nada para meus tios. Naquele domingo, Lili voltou comigo para a Cidade do México.

[ana ocadiz]

Liliana havia comprado alguns bilhetes da loteria para dar a Ángel no seu aniversário e, além disso, comprou mais dois, um para ela e outro para mim. Deve ter sido em meados de abril. Depois fomos ao mercado de Azcapotzalco comprar uns morangos com creme que, além de morangos e creme, tinham cobertura nevada de limão e mel. Nós realmente os amávamos, mas só conseguíamos comê-los quando os dividíamos, porque eram enormes. Já estávamos de volta quando vimos o homem vendendo pássaros numa das entradas. A ideia lhe ocorreu imediatamente e, sem que ela precisasse me dizer nada, entendi na mesma hora. Lili compraria um pardal, e esse seria o segundo presente de aniversário para Ángel: ele teria a honra de libertá-lo. Vê-lo voar pelo ar.

Saímos correndo de lá, com o passarinho dentro de uma sacola de papel-pardo, direto para a universidade. Tínhamos aulas e coisas para pesquisar na biblioteca e anotações para passar a limpo, mas entre uma coisa e outra Lili abria a sacola para garantir que o pássaro permanecesse vivo. Assim as horas se passaram e Ángel não chegou ou se atrasou. Temos que libertá-lo, Liliana me disse um pouco depois do meio-dia, toda tristonha. Eu concordei. Onde?, perguntei a ela. Aqui? Como você vê, este é um lugar bem sem graça. Temos que dar a ele uma viagem especial. Ela pensou um pouco e, de repente, seu olhar se iluminou. Já sei, ela disse. Me siga. E eu fui atrás dela.

Não demorou muito para chegarmos ao parque Tezozomoc, que não ficava longe da sua casa. A uma estação de metrô. Ela queria que fizéssemos um pequeno ritual. A liberdade, ela me lembrava a cada momento, era a coisa mais importante da vida. Quando finalmente abrimos a sacola, esperávamos que o pardal respirasse fundo e voasse para longe, mas isso não aconteceu. Ele deu alguns passos na grama e então caiu. Tentamos reanimá-lo, mas logo percebemos que não havia mais nada que pudéssemos fazer. Sua morte partiu nosso coração. Está num lugar melhor agora, eu disse a Liliana, que havia ficado imóvel, muito chocada, como se algo tivesse se quebrado dentro dela. Ele estava a ponto de ser livre, disse quando já estávamos caminhando lentamente em direção à sua casa.

Ele está livre, eu disse a ela, tentando reanimá-la.

VII

E POR ACASO ISSO NÃO É A FELICIDADE?

[raúl espino madrigal]

A viagem a Oaxaca. A famosa viagem a Oaxaca. Tudo começou com meus amigos do colégio, nossa vontade de curtir o verão na praia. Puerto Escondido. Mitla. Monte Albán. Esses nomes com gosto de doce na boca. Pensei em convidar Liliana. Sugeri que ela viesse conosco, prometendo que tudo ficaria bem e que viajarmos juntos seria muito bom para nós como casal. Naquela época eu me sentia muito confiante porque no geral tudo estava indo muito bem, eu tinha acabado de ganhar um prêmio local de design, e queria continuar apostando em ficar com Liliana. Deve ter sido no final de julho de 1989 que finalmente a convenci e, como tínhamos que comprar as passagens com antecedência, um dia fomos até o TAPO, o terminal rodoviário. Agora é realmente verdade que vamos a Oaxaca juntos, eu lhe disse quando estava com as passagens na mão. Não vá tão rápido, Raúl, ela me disse. Não tenho a menor ideia do que vai acontecer com minha vida. Honestamente, não posso garantir nada. Um clássico dela, me deixando na incerteza, escapando de qualquer definição.

Finalmente chegou o dia da viagem, que por acaso coincidiu com meu aniversário, dia 9 de agosto de 1989. Mas as horas foram passando e eu não tinha notícias dela. Tínhamos combinado de nos telefonar para irmos juntos ao terminal e, embora eu ligasse com insistência para a casa onde lhe deixava os recados (a casa dos donos do seu apartamento), não consegui encontrá-la. Não sabia o que fazer; não sabia se deveria procurá-la na sua casa em Mimosas, como outras vezes, ou esperar que ela me ligasse. Queria acreditar que ela viria comigo, mas chegou a hora de sair, e nada. No fim, fui para o terminal sozinho, muito preocupado e com raiva.

E onde está sua garota, cara?, me disseram meus amigos quando me viram chegar sozinho. Disse-lhes que não sabia e que parassem de me encher. Nisso, um deles disse: Não é aquela ali?, apontando para ela. E, sim, lá estava Liliana, ao longe. Eu não podia acreditar. Sim, ela viera. Fiquei instantaneamente cheio de felicidade, não importa o que tenha acontecido antes. Corri em sua direção, como nos filmes, de braços erguidos, tão eufórico que nem percebi que ela não estava vindo em minha direção. Estava imóvel, no centro de uma pilha de mochilas. E aí?, perguntei-lhe quando já estava ao seu lado e ela, em vez de me dar um beijo, estendeu a mão. Está tudo bem?, perguntei-lhe. Houve algumas mudanças de última hora, disse ela. E eu fiquei em silêncio. Sinto muito, Raúl, disse ela. Diga-me de uma vez, respondi. Sim, estou indo para Oaxaca, disse ela, mas com meus amigos de Arquitetura. Estou cuidando das mochilas, mas eles devem aparecer logo. Fiquei atônito. Mais uma vez, estava de boca aberta, incapaz de falar. Mas compramos as passagens, falei automaticamente, sem pensar, meio gaguejando. Eu mudei a minha há alguns dias, ela me disse. Aí meu coração deu um salto. Eu já sabia que Liliana não me amava como eu a amava, porém nunca imaginei que ela faria algo assim comigo. Me senti no meio de uma piada de mau gosto, sem saber o que fazer ou dizer, exceto que não era uma piada: era tudo real demais.

É meu aniversário, Liliana, eu disse a ela, tentando apelar para o seu lado mais suave. Faça isso como um presente para mim. Eu já estava implorando descaradamente para que ela fizesse a viagem comigo. Viaje com seus amigos, se quiser, Liliana, mas vamos nos encontrar em Oaxaca, implorei. Mas ela não cedeu. Você poderia pelo menos me dar um abraço de aniversário?, pedi-lhe de novo. Ela se aproximou de mim e, muito timidamente, me rodeou com seus braços. Fechei os olhos. Já não estava mais num terminal barulhento e cheio de gente da Cidade do México, e sim naquele outro lugar para onde sempre era transportado quando sentia seu aroma. Sua calidez. Sua doçura. Seu estar lá. Eu tinha muitos sentimentos contraditórios, mas a amava muito e aquele abraço foi como um verdadeiro presente. Ainda conversei com ela um pouco mais, porém foi muito incômodo, principalmente quando chegaram os arquitetos, como ela chamava seus amigos. Então me despedi, sentindo que todos os esforços que fazia para estar com ela eram inúteis.

[ana ocadiz]

Barracas. Mochilas de *trekking*. Latas de atum e pimenta-jalapeño. Muito pouco dinheiro e muita vontade, por outro lado, de ir a estes lugares de sonho: Oaxaca, Huatulco, Puerto Escondido. Todos conhecíamos esses nomes, mas nenhum de nós havia tido a oportunidade de visitá-los. Nos organizamos muito rápido. Foi tudo uma questão de mencionar o assunto numa das nossas conversas e aí começou. Nós iríamos, é claro que iríamos. Fernando, de quem eu gostava muito e às vezes ficávamos juntos e outras não, dizia para contarmos com ele; Leonardo, que estava interessado em Liliana, disse que iria; e Carlos, um cara alto e loiro, disse que também se uniria ao grupo. Viajamos à noite, de ônibus. E quem sente o desconforto ou a vigília quando se tem vinte anos e está indo ao encontro da beleza e da liberdade?

[raúl espino madrigal]

Já na cidade de Oaxaca, no dia seguinte, quando esperávamos que nos dessem nosso quarto no albergue, um dos meus amigos me disse: Olhe, lá vai sua menina. E eles estavam passando por aquela rua. Saí para falar com ela e pedi novamente que continuássemos viajando juntos, mas ela disse que era melhor assim. Não tinha jeito. Aproveitamos o dia e fomos a Monte Albán.

Na manhã seguinte, fomos ao terminal rodoviário comprar passagens para Puerto Escondido. A ideia era sair à noite e acordar lá. Eu estava muito distraído, olhando para o nada, quando alguém me empurrou de lado: era Liliana, que viera me cumprimentar, e fiquei muito surpreso. Rimos da coincidência, já que eles também tinham ido ao terminal, mas para comprar passagens para Huatulco. Pensei em você a noite toda, disse-lhe quando nos sentamos nas cadeiras de plástico do terminal. Eu também, ela admitiu. E faz sentido que estejamos em lugares separados pensando um no outro, em vez de estarmos no mesmo lugar?, perguntei. Essa situação resumia nosso relacionamento: querer ficar juntos sem realmente estar.

Passamos o dia inteiro na cidade e, a certa altura, um dos meus amigos os apontou para mim mais uma vez. Rimos abertamente e, claro, eu era a piada de todos. Eu me sentia preso com meus amigos e imaginei que a mesma coisa acontecesse com Liliana e os dela. Eu queria resolver a situação, mesmo que precisasse fazer algo drástico ou desesperado. Se joga, disse a mim mesmo. Eles estavam numa loja de artesanato ou de calçados, não me lembro bem, mas fui direto até ela e peguei no seu braço. Temos que parar de palhaçada, Liliana. Você sabe que eu te amo e sei que você me ama, vamos acabar com esse jogo infame agora mesmo. Eu gostaria de lhe dizer algo assim, mas só consegui dizer algo semelhante com outras palavras mais leves. Ela me pediu para baixar a voz e me arrastou até um banco, para que pudéssemos conversar longe dos seus amigos, à parte. Talvez tenha sido minha atitude ou minhas palavras, talvez ela não estivesse se divertindo tanto com os amigos, afinal, mas concordou em vir comigo. Liliana disse sim, irei com você, e um mundo inteiro se abriu diante dos meus olhos. Fomos ao albergue dela pegar sua mochila e depois a levamos para o meu. E agora, o que vamos fazer?, perguntei. Quero ir a Monte Albán, disse-me ela, acrescentando que os amigos não quiseram ir com ela no dia anterior. Eu estive lá ontem, disse-lhe, mas é um prazer acompanhá-la hoje. Vale a pena, acrescentei. Então fomos lá, finalmente nós dois, um homem e uma mulher viajando para Monte Albán.

Foi o ponto alto da viagem. Estávamos num lugar excepcional, num momento muito tranquilo. Depois de planejar e esperar tanto, fiquei muito feliz por finalmente estar com Liliana. Liliana e Raúl, nós dois. Embora o lugar estivesse cheio de turistas, seguimos nosso próprio caminho, em nosso próprio mundo. Ficamos muito tempo no topo de um planalto que dominava todo o vale de Oaxaca, que estava muito verde e, devido à hora do dia, muito dourado pela luz do sol da tarde. Um vento suave, extremamente quente, agitava nossos cabelos.

Não percorremos toda a zona arqueológica ou andamos por toda parte, apenas subimos as escadas daquela pirâmide e ficamos lá, no topo, a maior parte do tempo em silêncio, curtindo o momento em si. Juntos. Um homem se aproximou e, como em vez de ver as ruínas olhávamos para a paisagem, perguntou-nos: Vocês gostam? E Liliana respondeu: Muitíssimo, senhor, falando pelos dois sem parar de olhar para a imensidão. Muitíssimo era o tanto que eu gostava dela naquele momento. Entre minha timidez e ela sempre se afastando, era muito difícil me aproximar de Liliana. Desta vez, pedi-lhe uma das mãos. Liliana sorriu, o sol do fim da tarde em seus cabelos luminosos e em seus grandes olhos bondosos. Ela estendeu os braços e os ofereceu para mim. Lá estávamos nós, sentados lado a lado, numa pirâmide ancestral, de mãos dadas. Sorrindo. Murmurando coisas. Pronunciando palavras que àquela altura nenhum de nós entendia mais. Eu não sabia o que mais poderia pedir ao mundo. E me senti abençoado.

Um momento eterno. Foi isto mesmo: um momento eterno.

[leonardo jasso]

Liliana começou a viagem conosco, mas então, depois da breve permanência em Oaxaca, ela desapareceu. Tudo aconteceu com muita rapidez e discrição. Alguns nem perceberam que Liliana não estava mais viajando conosco, mas como me juntei ao grupo para ficar perto dela, percebi na mesma hora. Liliana foi embora com um namorado que ela tinha. Era um cara alto e magro, que recentemente ganhara um prêmio importante de design. Na escola, todos falavam dele. Eu senti a falta dela. Mas também não queria estragar minha viagem. Então continuei com todos até a costa.

Foi uma verdadeira surpresa quando Liliana voltou a se juntar a nós na praia.

[fernando pérez vega]

Era a viagem da nossa vida. Havia muita emoção, intensidade, vontade de se divertir e aproveitar tudo. Quando deixamos Oaxaca para trás, falávamos sobre a praia como se fosse um pequeno deus compartilhado. Éramos um grupo de chilangos sem muita experiência com o mar. Carregamos nossas mochilas nas costas e caminhamos até a rodoviária à noite. Levávamos um *walkman* à pilha, que meus pais tinham me dado há pouco tempo, e algumas fitas cassete. Era superdifícil chegar a um acordo sobre a música. Liliana detestava os sucessos da moda. Alguns preferiam músicas em inglês. Mas, entre Madonna e Paula Abdul, ficávamos com "Like a Prayer". "La Incondicional", de Luis Miguel, estava na moda, então nem precisávamos tocá-la nós mesmos para ouvi-la em todos os lugares.

Não me lembro por que Liliana se separou de nós um dia, no máximo dois, o que eu sei é que depois a encontramos em Huatulco, caminhando sozinha pela praia. Ela voltou a se unir ao grupo e não se separou mais de nós, mesmo quando fomos para Acapulco no caminho de volta, coisa com a qual ela nunca concordou.

[raúl espino madrigal]

Quando escureceu, voltamos para Oaxaca e nos reunimos aos meus outros amigos para irmos a Puerto Escondido de noite. Fomos direto para a praia. Estava amanhecendo e entramos no mar vestidos. Depois fomos procurar um hotel e alugamos um quarto grande para todos. Tínhamos comido alguma coisa no meio da tarde e Liliana começou a ficar resfriada. Então fomos descansar, esperando que ela se recuperasse. Como estava acontecendo um torneio de surf, havia música na rua principal e nos juntamos ao alvoroço da noite. As pessoas dançavam, alegres. Quer dançar comigo?, perguntei, estendendo-lhe a mão. Relutante, um pouco distraída, Liliana sorriu ao dizer não. Não me sinto nada bem, Raúl, disse ela. Você devia procurar uma parceira de dança melhor. Mas fiquei com ela, curtindo a música e as pessoas. Acho melhor ir dormir, disse ela depois de um tempo, e começou a se preparar para ir. Sua atitude independente sempre me desconcertava. Eu te acompanho, eu disse, tentando alcançá-la. Voltamos para o hotel, ela tomou alguns comprimidos para o mal-estar e adormecemos. Nem percebemos quando meus amigos chegaram; nem quando saíram do quarto na manhã seguinte. Quer que eu te traga algo de café da manhã? Na verdade, Raúl, só preciso de um tempinho sozinha. Eu entendi que ela precisava de espaço e saí do quarto.

Quando voltei para ver como ela se sentia ou se precisava de alguma coisa, Liliana não estava mais lá. Ela tinha me deixado um bilhete com sua caligrafia clara, explicando que não estava se sentindo bem e que gostaria de continuar a viagem sozinha. Não sabia se voltaria para o México ou para onde estava indo, mas sabia que, de qualquer forma, não era comigo. E ela deixou o dinheiro da sua parte no custo do quarto. Fiquei arrasado novamente. Já eram muitas idas e vindas. Eu já estava muito desgastado. Ali, com a mensagem dela ainda nas mãos, no meio de um quarto que a abrigara não fazia muito tempo, eu soube que não poderia continuar na mesma e resolvi parar de insistir.

Voltei com meus amigos e, depois de um tempo na praia, vimos que ali estavam os amigos dela, e Liliana também. Eu tinha me preocupado com ela, temendo o que poderia acontecer com uma mulher sozinha na praia ou na estrada, então fiquei aliviado ao vê-la de longe. Ela parecia relaxada e feliz com seus amigos. Estava tão linda como sempre. De longe, era difícil distinguir o que a atormentava por dentro. Eu cheguei mais perto. Você está se sentindo melhor?, perguntei, já sem nenhuma esperança de nada, só queria que ela me contasse o que acontecera e se estava melhor. Sentamos na areia. Eu olhava para ela, que observava o mar ao longe. Ontem à noite me senti muito mal, Raúl, ela me disse. Eu não passei bem. Ela hesitou um pouco e então disse: Tudo isso não parecia certo. Olhou diretamente para mim, seus olhos tão abertos que eu poderia caber dentro deles. Queria deixar tudo para trás, disse. Mas encontrei meus amigos por acaso na praia. Eu a interrompi, genuinamente surpreso. Eles não estavam em Huatulco? Sim, mas não gostaram e voltaram para Puerto Escondido. Você acredita? Eu não podia acreditar. Claro que não. E eles me convidaram para continuar a viagem com eles, e já era. Eu me virei para olhá-la novamente. Sua pele salpicada de areia. Seus lábios, que se moviam para cima e para baixo, enquanto ela pronunciava as palavras com que nos despedíamos. Seus dentes. As pontas do seu cabelo. E aqueles olhos que, às vezes, haviam sido tão gentis comigo. Eu sabia que nunca voltaria a vê-la assim na minha vida. E já era, eu repetia suas palavras dentro da minha cabeça.

E foi isso que eu entendi, que já era.

[ana ocadiz]

Em Puerto Escondido levamos um belo susto. Liliana e eu entramos na água sem perceber a altura das ondas. Estávamos exatamente como aparecemos na foto que depois emolduramos: ela com shorts compridos sobre o maiô, e eu com um vestido de praia largo, totalmente ridículo, uma roupa que por si só já é um estorvo, ainda mais quando está molhada. Caminhamos ao longo da costa num ritmo lento por um longo tempo. Passamos por uma área rochosa onde se surfava, e ali decidimos entrar no oceano. As ondas estavam muito fortes e a corrente começou a nos puxar. Ela havia praticado natação e até chegara a ganhar uma ou outra competição, mas lá, na praia, éramos apenas duas pessoas malucas sorrindo uma para a outra enquanto experimentávamos um medo atroz. Por um momento, temi por nós duas. Liliana manteve a calma enquanto isso acontecia. Eu ia entrar em pânico, mas quando a vi, toda serena e tranquila, também me acalmei. Depois de alguns minutos tensos, saímos do redemoinho nadando quase ao mesmo tempo em direção à costa. Nunca falamos sobre isso. Mas vê-la confiante nos redemoinhos foi parte do que nos salvou.

[agosto 1989]

Eu gostaria de reter um momento, talvez chegar à sublimação, e por acaso isso não é a felicidade? Um momento, uma imagem, uma cor, um gesto. Não sei aonde me levará escrever essas coisas. Você sabe, Ana? Eu te amo, e é tão fácil dizer, e foi tão bom perceber isso. Talvez o sol, o céu tão azul, o mar tão perto, a areia. Um tronco solitário. Caramba! Foi tão fácil sentir isso. Releio o texto e parece uma declaração de amor. E isso me faz rir. Odeio essas breguices, mas não posso evitar hoje. Acho que não vou te dar isso (mentira). Espero te dar. Talvez, quando eu me atrever, o momento já tenha sido digerido. De qualquer forma, acho que não consigo esquecer o quanto me senti feliz ao seu lado, à beira-mar.

Com amor, Liliana.
Agosto 1989. Puerto Escondido, Oaxaca.

[agosto 19 1989]

Acho que vocês entraram em greve, não recebemos carta sua e achamos que é um modo de pressionar, não é?

Tentei escrever de Oaxaca e não consegui, de repente havia tanta coisa nos meus olhos e no coração que não sabia o que poderia escrever a respeito de tudo isso. Agora e aqui, penso que foram seis dias lindos. Estive em Oaxaca, a capital, em Huatulco, em Puerto Escondido. E, por último, apesar de não querer ir, em Acapulco. Você conhece Oaxaca?

[agosto 24 1989]

Estou limpando minha "casa". Está muito suja e não sei por onde começar. Também estou fumando, embora saiba que não deveria. Além disso, estou assistindo a uma novela boba. E tudo está bagunçado: um sapato ali, o azeite, o molho, a tesoura, as meias. E cheira mal: água de flores velhas, banheiro entupido, umidade.

E ainda assim não me sinto mal.

Na verdade, me sinto bem. Me sinto muito bem.

[ana ocadiz]

Quarta-feira 4 de outubro de 1989.

4 de outubro de 1969…
20 anos já…

Felicidades!

E hoje todos nós que te conhecemos e te amamos nos enchemos de alegria ao saber que contamos com sua presença por mais um dia.

Eu gostaria de te dizer mil coisas, mil sentimentos e pensamentos que estar ao seu lado desencadeia em mim.

Você sabe? Eu descobri que você é realmente alguém na minha vida... Posso conversar com você sobre as coisas que acontecem comigo, sobre meus medos e estranhezas, e você não me julga, e sim me ouve e me apoia. Quero que saiba que te agradeço da maneira mais profunda por ser minha amiga e pelo apoio que me dá quando preciso.

Quero também te desejar a mais completa felicidade, paz e saúde, não só hoje, no seu aniversário, mas por toda a sua vida e para sempre...

Oh, espero que você seja minha amiga por mais 394 anos, ok?

Eu me despeço apenas por ora.

Com muito carinho,
Ana.

[outubro 6 1989]

Querida e nunca bem ponderada Ana,

Em primeiro lugar, escrevo numa folha amarela porque as cor-de-rosa são muito cafonas (comentário extraoficial).

Quer saber? Estou um pouco triste e confusa. Vou te contar um segredo. Acho que estou apaixonada. De volta ao buraco! E não sei o que vou fazer para sair dessa trapalhada. Amar me machuca, mas não são essas as coisas que nos fazem felizes?

De qualquer forma, esse não era o ponto importante. O importante! O surpreendente! O extraordinário! O... O... é que, se você não tiver mais nada pra fazer, vamos pra

Tampico. Espero te ver amanhã às 20h30 no terminal norte, em frente do Tres Estrellas de Oro (se encontrá-las, me avise, e vamos roubá-las).

Bem, isso foi apenas um bilhete e não quero me estender mais.

Com carinho,
Liliana.

P.S. Depois do duelo das mulheres do Atalaya; depois que o homem do gás me falou que pareço uma mulher casada. Depois de tudo isso, não me sinto mal, apesar de tudo.

[manolo casillas espinal]

Eu já sabia que Liliana não queria namorar. Ela ficava muito irritada com isso. Eu, é claro, queria que ela fosse minha namorada. Ou ser o namorado dela. Não quero ceninhas nem reclamações, Manolo, ela me dizia. Não suporto ciúmes. Quero minha liberdade. Eu a ouvia com paciência, com muito amor, esperando que ela mudasse de ideia logo. No dia em que ela estava indo para Tampico com Ana, eu tinha ficado de levá-las ao terminal de ônibus. Fui até a casa dela e, como ela ainda não estava pronta, entrei. Aquela bagunça de sempre: um livro aqui, suas roupas acolá, as malas. Não vá, Lili, eu disse a ela do nada. Ela estava sentada no colchão, colocando alguns lápis numa bolsa de pano. E por que isso?, ela me perguntou, mal levantando a cabeça. Porque vou sentir muito a sua falta, eu lhe disse enquanto me sentava ao seu lado. Cheguei o mais perto dela possível, colocando uma mecha do seu cabelo atrás da orelha. E a beijei. Em outubro. Por volta das cinco da tarde. Na casa dela. Nosso primeiro beijo. Eu ainda não conseguia acreditar quando estava dirigindo para o terminal e, na volta, sozinho no carro, tocava meus lábios com os dedos em total descrença. O sorriso idiota que devia estar estampado no meu rosto naquele momento.

Nós já passávamos muito tempo juntos antes, mas depois disso ficamos ainda mais próximos. Fazíamos trabalhos em grupo juntos, íamos ao cinema, que ela adorava, juntos também; conversávamos toda hora, falávamos sem parar. Com o tempo, passamos dos beijos às carícias. Ela mordia meus ombros; eu, às vezes, tocava seus seios. A cintura. Mas nunca nos beijamos em público ou andamos de mãos dadas na faculdade. Ela achava brega. Também não fizemos sexo. Liliana era cuidadosa, tinha medo, nunca me dizia bem o porquê e eu, como a amava muito, não queria pressioná-la. Não era uma coisa urgente ser íntimo dela assim, fisicamente. Gostava de ir conhecendo, aos poucos e cada vez mais de perto, tudo o que ela era.

[leticia hernández garza]

Quando as vi, já estavam cheias de areia. Suponho que tenham ido à praia antes de chegar em casa, mas ficaram conosco cerca de seis dias em Tampico. Foi uma visita muito incômoda porque Ana tinha um ciúme absurdo. Ela não me deixava falar com Liliana a sós, como costumávamos fazer, e, sempre que eu fazia uma pergunta à minha prima, Ana se adiantava para responder. Ela agia como se a conhecesse melhor do que eu, que a conhecia desde sempre. Lili era muito ingênua. Muito carinhosa. Muito paciente. Era óbvio que Ana era muito possessiva. Não era uma influência positiva na sua vida. Na verdade, ela se isolou muito depois de conhecê-la. Não fazia nada sem ela. Elas iam a todos os lugares juntas, como se fossem siamesas. Não sei se isso tinha a ver com a raiva do Ángel, mas sua proximidade era asfixiante.

Naquela visita de outubro, Liliana parecia estar com uma infecção nas partes íntimas. Marquei-lhe uma consulta com minha ginecologista e ela disse que ia, mas no último momento, sem nem avisar, as duas foram embora. Liliana nem se despediu de mim na ocasião.

[gerardo navarro]

Manolo e Liliana ficaram juntos, sim, mas sempre esconderam. Nunca demonstraram abertamente. Era algo muito por baixo dos panos. Ela era muito reservada. Sempre foi assim. Eu te digo que nunca a vi com alguém. Soube que ficou com Manolo porque ele me contou.

[othón santos álvarez]

Quando ela estava ficando com Manolo, eles formavam um casal muito agradável. Manolo sempre teve uma personalidade assim, muito dada ao riso, e o senso de humor de Liliana era tremendo, então a hilaridade os seguia aonde quer que fossem.

[ángel lopez]

Eles ficavam juntos de tempos em tempos. Às vezes sim, às vezes não. Quando Manolo parecia triste, era porque não estava com Liliana; e quando eles ficavam juntos, seus olhos faiscavam. Algo de que me lembro muito bem, porém, foi o gesto dela para o aniversário de Manolo. Liliana veio para a escola com um grande buquê dc *cempazuchitles* embrulhado num jornal. Um buquê realmente enorme. Onde aquele desgraçado se meteu?, perguntou ela. Quem? O Manolo, quem mais seria? E nisso Manolo apareceu, todo vermelho e verde, envergonhado e animado ao mesmo tempo pelo gesto.

Isso foi no dia 7 de março.

[manolo casillas espinal]

Às vezes, eu via Ángel na escola; às vezes, via sua sombra na rua da casa dela. Era como um fantasma. Uma nuvem negra. Eu sabia que ele estava por perto quando ouvia o barulho da sua moto. Liliana havia hesitado antes. Às vezes parecia que estava tudo bem com eles, às vezes não. Mas, depois de um tempo, ela tomou coragem e lhe disse para não procurá-la mais. Disse-lhe várias vezes: não venha mais procurar por mim. Eu já te disse. Um dia, porém, estávamos num grupo de amigos no apartamento da Liliana e ele apareceu por lá. Estávamos comemorando alguma coisa, com certeza, porque o clima era de festa. Fiquei com um humor do cão, porque ela me disse que já havia lhe dado um ultimato. Incomodava-a que ele procurasse por ela, que aparecesse na casa dela durante a semana sem avisar. Fui muito clara com ele, Liliana me assegurou novamente. Disse para não me procurar mais. Que tudo acabou. Que nunca mais. Mas lá estava ele. Encolhido num canto. Assistindo a todos nós de longe, com um ciúme absurdo ou uma daquelas fúrias contidas. Ele realmente não tinha nada para fazer lá. Era óbvio que não combinava conosco. Saí do apartamento zangado, acreditando que Liliana não estava decidida quanto a ficar comigo. Algum tempo depois, comecei a namorar uma garota que não era da escola. Uma vez fui a uma conferência com ela num dos auditórios da universidade, e Liliana e Ana ficaram muito bravas ao nos ver. Não tinham motivo, já que naquela época Liliana e eu tínhamos nos afastado um pouco. Mas, no dia seguinte, Liliana e Ana esvaziaram os pneus do meu carro, um velho Valiant Barracuda vermelho.

[27 de outubro 1989]

Querida Lety

Ai, que título idiota, bem, não se chateie, te amo, mas o título é idiota. Meu gato está brincando, e eu estou me afogando em lembranças. Estou muito triste, estou tentando ficar bêbada, ainda não consegui, ainda consigo escrever no meu caderno do 6° semestre. Ha. Que idiota. Ainda há muitas cervejas por beber, muitos cigarros por fumar, muitas lágrimas por chorar. Onde ficou a infância, Leticia? Eu não a vejo em lugar nenhum. Eu procuro na desordem absurda, entre esse quase medo que a noite e a solidão produzem em mim... E a porra do cigarro se apagou. Estou fumando Delicados. Não comi, não tenho dinheiro e estou mais bêbada de tristeza do que de álcool. É só saudade de outros tempos, das tardes ensolaradas, da poeira, das férias de verão. Estou sozinha, terrivelmente sozinha, olhe como o tempo nos torna monstros!

Fui buscar outra cerveja e esqueci o que ia te dizer.

Limpo a poeira dos meus sapatos velhos. Acho que não vou te mandar isso, ou será que te mando?

[31 outubro 1989]

Querida Ana, Estimada Ana, Amada Ana, Ana, o que soa melhor? Ana, enfim. Ana, outra vez. Zás!

Ana, é verdade, um dia tudo chega. Até os vinte anos puderam nos alcançar.

Eu gostaria de dizer uma coisa precisa, mas o que eu poderia te dizer? Avivar algo que você deseja avivar, encorajar seus sonhos ocultos que irão explodir a mente e o corpo. Eu não poderia dizer mais do que você já sente, porque tudo isso está tão, tão dentro de cada um de nós, dentro de você, Ana, Ana forte, Ana amor, Ana criança. Dirigir-se ao desejo com toda a nossa audácia sem respeitar o tempo (podem ser quatro séculos desde Napoleão ou dois dias depois do outono), sem respeitar as distâncias (porque se for preciso voaremos da mina de diamantes mais distante da África até o próprio gelo do Ártico), sem respeitar barreiras ou obstáculos.

Ir em direção ao desejo com o máximo de perfídia que nos permitam nossas crenças e carências. O que poderíamos temer então? Aonde quer que você decida ir, meu apoio te seguirá; enquanto você não desistir. Porque não há responsabilidade mais sagrada e atroz do que aquela que nos obriga a ser nós mesmos.

Com amor

Liliana

P.S. Ah, já ia esquecendo: feliz aniversário!

[ana ocadiz]

T. A. Ana.

sentimentos em mim.
difuso, que irradia todo um mundo de

feliz continuar contando com o apoio desse ponto
para te dizer que… eu te amo, e me faria muito
e eu vou fazer isso, mas não para casar, e sim
que de um momento para outro vou pedir sua mão,
vagueza bem definida… ok, ok… parece
e entendi (ou assim acreditei) sua essência e observei sua
também fui… pensei em você o tempo todo…
de correr e te abraçar… eu te vi ir embora e
ter… Lili… Se você soubesse a vontade que eu tive
por uma amiga, a amiga que eu sempre quis
que pudesse sentir um amor tão grande e tangível
presenta como ser humano… sabe? Eu nunca acreditei
gritos, com tudo o que você é, pensa, sente e re-
loucura, e sua profundidade, com seus silêncios, e seus
entendi o quanto você significa para mim… com sua
o quanto eu gostaria de deter esse instante em que
ver você no ônibus, dizendo adeus…
ontem, por exemplo…
do que já tenha acontecido, e que perdura…
quando o que se retém é uma imagem, um segun-
isso… sabe? Às vezes não é fácil encontrar palavras…
mada quando ler
(sem tagarelice), espero que você esteja muito ani-
será a tentativa… Olá, Lili… Como você está?
ples palavras?… Bem, sim… Ou esta pelo menos
E a coerência tridimensional pode ser criada com sim-
tranha, cheia de sinceridade, cor, forma…
Olá, esta é a tentativa saudável de fazer uma carta es-

Sexta-feira, 24 de novembro de 1989.

[às vezes vivo de símbolos]

Liliana comenta cada um dos "símbolos" colados na página de seu caderno. Alguns lhes foram presenteados, outros ela já não se recordava de onde vieram.

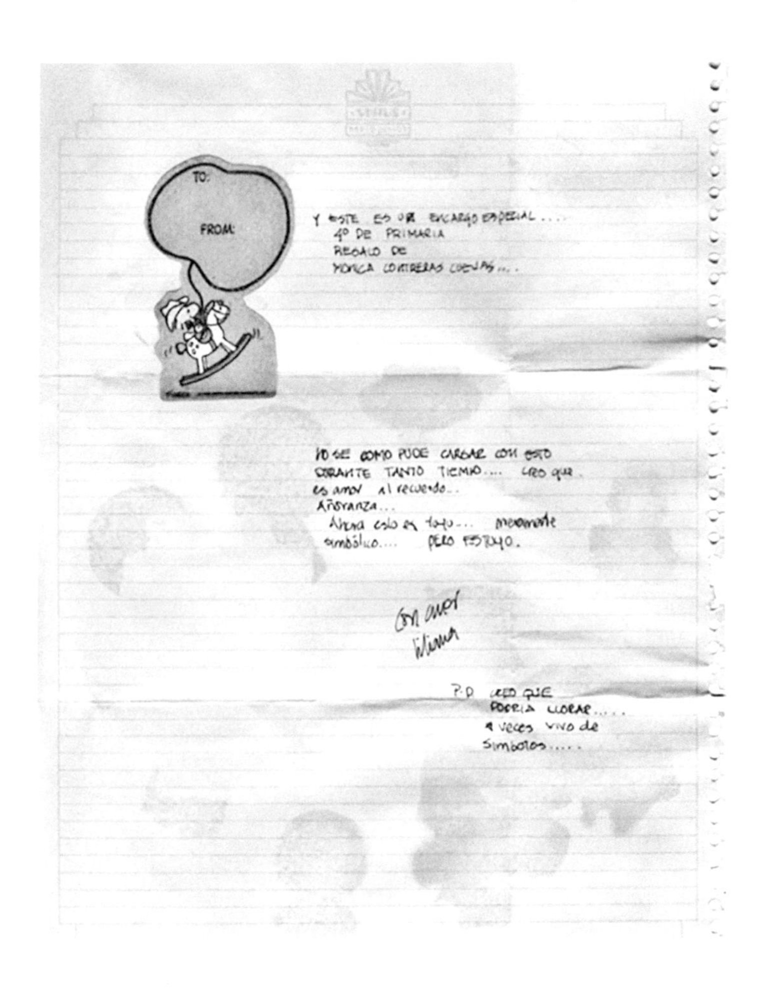
TO:
FROM:

Y este es un encargo especial....
4º de primaria
Regalo de
Monica Contreras Cuevas....

No se como pude cargar con esto
durante tanto tiempo.... creo que
es amor al recuerdo..
Añoranza...
Ahora esto es tuyo... meramente
simbólico.... pero es tuyo.

Con amor
Liliana

P.D. creo que
podría llorar.....
a veces vivo de
simbolos.....

De cima para baixo, tradução das anotações de Liliana: E esta é uma encomenda especial / 4º ano primário / presente de Monica Contreras Cuevas... // Não sei como pude guardar isso / durante tanto tempo... / acho que / é o amor pela recordação/ saudades... / agora isso é seu... / meramente simbólico... / mas é seu. // Com amor / Liliana // P.S. acho que / eu poderia chorar... / às vezes vivo de / símbolos...".

VIII

QUE VONTADE DE DEIXAR DE SER FADA EM UMA TERRA DE GELO

[perto de abril ou maio]

Reconstruir os últimos meses da vida de Liliana não é fácil. Além da garota inteligente e luminosa, a amiga confiável e às vezes protetora, a jovem animada e zombeteira que sabia como curar e ferir com palavras; além da jovem estudante que ia se apaixonando cada vez mais por seu campo de estudo; a sagaz, como algum de seus amigos a descreveu, a carismática, a líder; além da mulher que acreditava cada vez mais em si mesma, havia também a Liliana que, por mais que revirasse o mundo de cabeça para baixo, não encontrava uma linguagem para nomear a violência que a perseguia.

Talvez tenha havido um diário que uma de suas amigas, não a mais próxima, assegurou que ela escrevia. Não o encontrei entre suas coisas. O que encontrei foram inúmeras anotações manuscritas que ela ia rabiscando aqui e ali em seus cadernos escolares, em meio a reflexões sobre formas e planejamento de casas, história da arte e múltiplas disciplinas. Deslocadas entre as páginas dos cadernos ou lacradas em caixas de estanho ou dentro de algumas bolsas e carteiras de couro, estavam também as mensagens que ela escrevia para si mesma ou as que recebia de outras pessoas. São peças de um quebra-cabeça muito complexo que nunca vou conseguir montar. Um após o outro, esses escritos são camadas de experiência que se sedimentaram ao longo do tempo. Minha tarefa, agora, é des-sedimentá-las. Com o cuidado do arqueólogo que toca sem danificar, que tira a poeira sem quebrar, minha intenção é abrir e ao mesmo tempo preservar essa escrita: des e recontextualizá-la numa leitura a partir do presente. Nem Liliana, nem aqueles de nós que a amávamos, tivemos à nossa disposição uma linguagem que nos permitisse identificar os sinais de perigo. Essa cegueira, que nunca foi voluntária, mas social, contribuiu para o assassinato de centenas de milhares de mulheres no México e no mundo. Como bem argumentou Snyder em *Sem hematomas visíveis*, aquilo que não sabíamos sobre violência doméstica, sobre terrorismo íntimo ou de parceiro, no início da última década do século XX, num país onde a violência contra as mulheres aumentava assustadoramente, certa noite invadiu a casa de minha irmã em Azcapotzalco, pôs um travesseiro em seu rosto e tirou sua vida. Morte por asfixia. Mas seu trabalho, o trabalho subterrâneo e constante da violência, tinha começado muitos anos atrás, quando minha irmã era apenas uma adolescente. E Liliana, valente e carinhosa, tentou por todos os meios fazer o que tantas mulheres fizeram em seu lugar: opôs-se à violência, buscou fugir, negou-a, acoplou-se a ela, resistiu-lhe, desativou-a, negociou com ela, fez todo o possível e imaginável até que, pouco tempo antes do feminicídio que tirou sua vida, ela o deixou. Ela abandonou Ángel. Emocionalmente. Fisicamente.

Segundo Snyder e a cronologia de perigo crescente que ela propõe para as relações marcadas pela violência de parceiro, as mulheres correm maior risco de perder a vida nas mãos de seus ex-parceiros nos três meses posteriores à separação, ou nos três meses posteriores a que o manipulador perceba que, dessa vez, a separação é real. Definitiva. Se isso for verdade, se as conclusões a que chegaram os especialistas com base em milhares de dados quantitativos e milhares de testemunhos inestimáveis de mulheres estiverem corretas, algo deve ter acontecido no início dos anos 1990 entre Liliana e Ángel, algo novo e retumbante, algo verdadeiro o suficiente para escancarar as portas para a violência feminicida. Algo, talvez, entre março e abril. Algo em maio.

[um conjunto de cadernos e notas soltas]

Seus quatro cadernos estavam dentro de uma caixa de papelão entre muitas outras coisas: pincéis e adesivos, canetinhas, estiletes, papel-vegetal e papel Fabriano, cartões, livros, brincos e pulseiras, caixinhas diversas. Eram os dois cadernos Scribe tamanho carta e os dois de capa dura, ambos com espirais e com folhas quadriculadas, que lhe serviram para fazer anotações do quinto ao oitavo semestre, o qual não chegou a concluir. As notas nesses cadernos, muitas delas datadas, tornaram-se a espinha dorsal de uma miríade de notas individuais que foram aparecendo em outros lugares. Liliana gostava de guardar as coisas, sobretudo as pequenas. Ela tinha, por exemplo, ordenados cronologicamente, todos os recibos de compra da papelaria Lumen desde 1988: um maço grosso, dobrado em dois, que dá conta de suas habilidades de organização e, também, de seu trabalho como a arquivista, para quem não apenas o pensamento abstrato ou a confissão íntima importavam, mas também os aspectos mais triviais da vida material. Algumas das notas nesses cadernos, no entanto, não têm data. E é aí que a cor da tinta ou o traço da carta me ajudaram a localizar, pelo menos aproximadamente, a data em que foram escritas.

Estabelecido o cronograma mais longo, pelo menos o mais estável, iniciei a tarefa de intercalar as muitas outras notas que foram aparecendo em papeizinhos soltos, em guardanapos ou em bilhetes de metrô. Alguns deles vinham com datas, outros não. Usei o mesmo método: cor da tinta, tipo de traço, assunto. Também acrescentei as cartas, bem como as notas ou mensagens individuais que ela recebeu durante esse período. Transcrevi tudo, tentando formar um cronograma mais ou menos legível. Tentando habitar cada uma de suas linhas. Por minha vez, eu fazia anotações em pequenos post-its coloridos. Esses foram os que coloquei, ao lado dos materiais, em ordem cronológica, na mesa retangular da sala de jantar quando o espaço da escrivaninha não foi mais suficiente.

O que surgiu foi um mapa, ou mais precisamente: uma planta. Estavam ali as linhas que apontavam as fundações e as paredes, mas também as que abriam espaço à janela e à claraboia. A tentação de reconstruir a vida de Liliana como uma vítima indefesa diante do poder avassalador do macho foi grande. Por isso, preferi que ela mesma falasse: tenho a impressão de que, a cada curva do caminho, mesmo nos momentos mais sombrios, Liliana não perdeu a capacidade de se ver como autora de sua vida. Como muitas mulheres em sua situação, Liliana tentou de tudo – rodear-se de um grande círculo de amigos, apaixonar-se por outros meninos com um pensamento mais aberto, dedicar-se com afinco à arquitetura, preparar-se para uma vida autônoma –, mas, a cada curva do caminho, nos momentos menos esperados, Ángel a surpreendia, uma e outra vez, dizendo a ela que a amava, pedindo desculpas, garantindo-lhe que iria mudar. Ángel não se limitava a pedir. Ángel também exigia uma resposta que, se contrária à sua vontade, poderia desencadear uma fúria que se expressava em ciúmes, golpes, assédio constante, ameaças de suicídio e, talvez, ameaças contra outros entes queridos. E isso Liliana sabia bem. Sabia bem disso há pelo menos seis anos. Seu contexto a prendia com a camisa de força do machismo normalizado e com as mais violentas arestas de um sistema patriarcal que até muito recentemente passava por ser o estado normal das coisas, mas Liliana, que se descrevia às vezes como triste ou decepcionada, esteve disposta até o fim a não se deixar cair. Literalmente. Ou a se levantar mais uma vez, caso tenha caído. Eu acredito profundamente nessa Liliana. Amo profundamente essa e todas as outras Lilianas. Mas aqui, o que conta, é sua voz e sua letra, suas letras.

[maré verde]

É um caderno Scribe duplo, tamanho carta, de cem folhas quadriculadas e com espiral. Acima da cor vermelha da capa aparece a imagem da Estátua da Liberdade e, perto dela, uma lua cheia de um amarelo pálido. Alguém escreveu em enormes letras pretas 5º TRIMESTRE, desenhou óculos escuros na lua e deixou outra marca: uma pequena teia de aranha no canto esquerdo inferior. A luz de uma manhã de domingo permitiu-me vislumbrar algumas letras diluídas em tinta azul que há meses se escondiam de mim: Estou entediada, escreve Liliana, Othón não tem pressa (apresse ele). Othón escreve bem devagar (vou gritar). Não, é a biblioteca, não posso gritar. (Está pronto.) 240789. Quando você vira aquela capa já cheia de símbolos, aparecem folhas soltas, algumas com uma caligrafia estranha e outras com a caligrafia que eu já conheço bem. São notas de aula. São sinais de camaradagem.

Na primeira página aparece o anúncio novamente: 5º TRIMESTRE, e, abaixo do título, vêm o horário das aulas e os nomes de dois professores:

Tecnológico	7-8	KB17	Gabriel Jiménez
Interdisciplinar	8:30-10:00	EB 10	
Operação	10-3	L013	Guillermina López
Teórico	7-8:30		
Metodológico	8:30-10		
Laboratório	10-3		

Com uma caligrafia controlada de modo firme, combinando o lápis e a tinta da caneta esferográfica, começam as anotações propriamente ditas. Há esboços. Há mais letras, algumas em minúsculas e outras totalmente em maiúsculas para acentuar a importância do que foi nomeado. Arquitetura de transição. Cimbre de primeira qualidade. Papel-manteiga. Hora da entrega: 10h15. Logo, porém, o fluxo da aula é interrompido e, com a mesma letra, como se fosse o mesmo assunto, surge a primeira nota pessoal, em 130689:

... no entanto

Que vontade de deixar de ser fada em uma terra de gelo. Quanta necessidade de companhia.

Exceto por uma lista de nomes, talvez seus companheiros de turma (Juan Carlos Sierra, Armando, Ana, Fernando, Eduardo), nenhuma explicação acompanha as frases. As reticências e o adversativo da linha introdutória produzem o efeito de continuidade com uma circunstância que, por oposição, parece ser positiva. Apesar disso, ou talvez por causa disso, há vontades, outras vontades. A vontade, acima de tudo, de ir além do estereótipo feminino da boa fada, por ora encapsulada numa terra hostil: uma interpretação que é reforçada pelo desejo, também, de companhia, presente na terceira linha.

Como a origem da nota não é revelada, ela parece surgir do nada.

Mas nenhuma escrita vem do nada.

Era uma tarde qualquer. Liliana e Laura se encontraram na esplanada bem em frente à biblioteca, como costumavam fazer, mas Lili parecia diferente. O semestre e o ano estavam terminando, e o outono de 1988 fora especialmente seco e claro, mas as hesitações de Liliana intrigaram Laura. Você está bem?, ela perguntou, porque Lili continuava lançando palavras soltas sem ser capaz de dizer algo em particular. Acho que estou grávida, Laura, finalmente disse a ela. Disse isso com grande dificuldade, de novo com evasivas e meias verdades. A única coisa clara e difícil de esconder era a angústia. Estava com muito medo e não sabia o que fazer, mas também não queria que ninguém soubesse. Não queria compartilhar. É do Ángel, certo?, perguntei-lhe não porque duvidasse, mas porque não soube o que dizer na hora. Ela assentiu. De quem mais seria?, ela acrescentou, encolhendo os ombros. Não quero ser mãe, Laura, disse ela. Ainda não me vejo como mãe. Além disso, frisou, mal completamos um ano de faculdade. Pouco mais de um ano, Laura suspirou, como se acabasse de perceber a rapidez com que o tempo estava passando. O futuro, disse Liliana. O futuro ainda é tão grande. Elas estavam sentadas nas muretas de pedra que tantas vezes as ouviram brincar, tagarelar, zombar da vida. Mas agora Liliana inclinava a cabeça, olhando diretamente para o chão, como se procurasse uma resposta na grama seca. Vai dar tudo certo, Laura sussurrou para ela, e Liliana a ouviu mesmo em meio ao barulho dos alunos. Qualquer decisão que você tomar será a certa, e qualquer uma, no fim, será uma decisão corajosa, disse a ela. Eu sei, Liliana respondeu, apática. Fez uma pausa e então virou o rosto para o céu irritantemente azul. Eu sei que a decisão é minha, ela disse. Que essa decisão cabe apenas a mim, Laura. Mas me sinto muito sozinha.

Não era fácil abortar no México no final do século XX. E as mobilizações organizadas ao longo do século XXI pelas feministas argentinas, no que é conhecido como Maré Verde, deixaram claro que a luta pelo direito ao aborto não é coisa do passado. Mostrar um lenço verde como sinal de apoio é tão necessário hoje como sempre foi. À medida que mais e mais mulheres saem às ruas, marchando juntas para exigir abortos gratuitos e seguros, conseguindo reunir mulheres de todo o continente em apoio aberto ao aborto, as histórias de meninas sozinhas e assustadas na entrada de clínicas clandestinas não param de aumentar. As jovens da classe média têm conseguido recorrer a médicos que, por quantias raramente modestas, estão dispostos a extrair o feto em consultórios escuros, de aparência quase legal, mas não sem lançar toneladas de culpa e maus-tratos em seus corpos. As mais pobres têm de recorrer a métodos de reputação duvidosa que com assombrosa frequência acabam com suas vidas, seja por hemorragias ou infecções. O aborto é e foi um grande risco para as meninas grávidas porque é ilegal.

Em um meio onde a educação sexual nos sistemas de educação pública se resumia a uma conversa ocasional feita com ilustrações baratas e uma linguagem abstrata e pouco informativa, e em que carregar preservativos na bolsa era visto como um sinal de depravação moral, especialmente entre as mulheres, não era incomum que uma boa porcentagem das jovens que iam atrás de seu desejo terminassem grávidas. Embora todos estivessem cientes dos métodos anticoncepcionais em uso, tomar a pílula ou colocar um DIU implicava a admissão, mais ou menos óbvia, de que a atividade sexual não era passageira, produto de algum arrebato juvenil, mas uma prática constante. Uma nova forma de vida. Muitas jovens não estavam prontas para admitir, para si mesmas e para seus parceiros, que era esse o caso. Além disso, os anticoncepcionais nunca foram cem por cento seguros. Poucas meninas falavam abertamente, muito menos em casa, sobre seus desejos mais íntimos, a vida agitada de seus hormônios e sua libido. Em geral, esperava-se que elas tivessem um recato a toda prova ou uma discrição que não alterasse as aparências caso o primeiro falhasse. Desejava-se que fossem fadas, certamente, fadas numa terra sempre hostil.

O aborto não era legal na Cidade do México até 2007, ano em que se autorizou o uso de Zacafemyl-Mifepristona para interromper a gravidez de até doze semanas. No momento em que escrevo, o aborto só é descriminalizado na Cidade do México e no estado de Oaxaca, e isso somente a partir de 2019, como resultado das mobilizações da Maré Verde. Os estados de Guanajuato e Querétaro o autorizam apenas em caso de violação. Nos demais estados, o aborto é legal em caso de estupro, risco de saúde e morte para a mãe. Em alguns estados, como Yucatán, também se considera a inviabilidade econômica da mãe como causa legal do aborto. No contexto da América Latina, as mulheres têm direito ao aborto em Cuba, na Guiana e no Uruguai, e desde 30 de dezembro de 2020, depois das massivas marchas populares em todo o continente, na Argentina. Se Liliana vivesse entre nós, engravidasse e decidisse fazer um aborto, seria melhor para ela não deixar de morar na Cidade do México. Ou mudar-se para Oaxaca ou Buenos Aires. Quer dizer, a situação mudou pouco. Cerca de 450 mil mulheres recorrem ao aborto todos os anos e a criminalização continua a pôr suas vidas em risco. Os abortos continuam existindo e, embora uma parte da sociedade pudica e conservadora, eterna aliada do machismo, os considere ainda uma questão de moralidade, é cada vez mais aceito que o aborto é uma questão de saúde pública, em que a decisão final cabe às mulheres. O lema continua tão válido agora como quando as feministas argentinas o cantaram pela primeira vez enquanto agitavam seus lenços verdes ao redor do mundo: educação sexual para decidir, anticoncepcionais para não abortar, aborto legal para não morrer.

Em meados de novembro de 1988, Liliana escreveu um texto, de forma inusitada em verso livre, em que o ausente irrompe com uma força desoladora. E aí, a cada linha quebrada, se debatem os desejos profundos de se desprender e a nostalgia que a assalta diante do que perdeu. As inscrições das palavras gonadotrofina coriônica – o hormônio detectado num exame de sangue em caso de gravidez –, tanto na última página de uma de suas listas de endereços quanto num dos cantos de sua passagem de metrô da primeira quinzena de dezembro de 1988, me fizeram pensar que esse texto e o aborto estavam ligados. Há vasos comunicantes entre a solidão, o abandono e o desejo de romper laços.

15 de novembro de 1988
Se desprender-se fosse simplesmente levantar os braços?

Se a espiral do tempo fosse a evolução de uma escada rolante que se enterra e sobrevive?

Vamos contar os sóis que não saíram
as coisas destruídas em cheio hoje

vamos contar o infinito
as mãos que não nos tocaram
e todos os vazios que nunca preenchemos.
Vamos fazer contáveis essas tardes de novembro, as outras solidões que não estão presentes, as nossas, os ausentes

O que eu faço agora?

Contar as não ocorrências
os amores excluídos
as mais tímidas proximidades
os NÃO
o complemento do que está e é
e essa paisagem cúbica, geométrica, preto-branco.
Contar o ar que não está
as nuvens que faltaram.
Contar as ações suscetíveis de serem observadas
as distâncias
sua não presença quantas vezes acontecida
nós vamos contá-la.
Agora, sim, há gotas saindo dos olhos
as nuvens baixas
o suor angustiante.
Eu não quero contá-las
assim não.
Estão me enchendo de presente
retumbante e sempre.
Então, eu já faço parte do seu universo.

Vamos contar as coisas que não estão lá
Entre todos elas, diga-me.
Agora você já pode fazê-lo.

Como aconteceu com alguns de seus textos, este reapareceu algumas vezes, seja em parte, seja com modificações mínimas em vários cadernos. Mas o original, o rascunho em que foi trabalhando ao longo dos meses, teve origem naquele novembro, quando ela temeu ou começou a saber da possibilidade de uma gravidez.

Liliana, que passou pela experiência do aborto sozinha no final de 1988, teve sorte. Um médico fez com que ela se sentisse a pior das mulheres, mas não a matou. Agora eu a vejo daqui, cheia de angústia, fazendo perguntas discretamente, buscando informações que nunca estão à mão. Lá vai ela, descendo as escadas do metrô e depois caminhando nas calçadas estreitas, sempre cheias de rachaduras, de Naucalpan, um município da classe trabalhadora do estado do México, localizado a nordeste da capital, enquanto tenta discernir um número naquelas paredes cheias de pichações coloridas e anúncios. Quero me juntar a ela, entrar com ela na pequena sala escura e úmida, onde eles perguntam repetidamente se ela tem certeza. Tenho, ela diz baixinho, e eu pego sua mão e passo meu braço ao redor de seus ombros. Você não está sozinha, Lili. Eu estou aqui com você. Agora e sempre. Eu te apoio completamente, absolutamente, de todo o coração. E, assim como você tem me ouvido ao longo dos anos, me aceitando e me amando como eu sou, eu também te amo hoje, sem te julgar. Eu estou aqui para você. Quero que você tenha certeza disso; que você saiba bem. Estou aqui com você, totalmente de acordo com sua decisão.

Algumas semanas depois, na mesma esplanada em que lhe confiara sua situação, Lili disse a Laura que já havia feito o procedimento. Olharam nos olhos uma da outra. Laura passou a mão suavemente em torno de seu antebraço e as duas não tocaram no assunto de novo. Já estou atrasada para a aula, disse Liliana ao sair. E Laura a observou, como tantas vezes antes: lá ia ela apressada, por aqueles longos corredores que permitiam ver a distância que se acumulava ao longe, uma mulher livre. Liliana acabava de garantir uma vida futura que não incluía os filhos nem a união definitiva com Ángel. Acompanhada de si mesma e de mais ninguém, ela curou suas feridas aos poucos nos dias que se seguiram. Embora discreta sobre o aborto, ela compartilhou sua experiência com Ana, quando chegou a hora, e também contou a Manolo, quando ele estava tentando convencê-la a fazer sexo. Ninguém sabia os detalhes da experiência, nem mesmo a data exata em que ocorrera, contentando-se em falar sobre ela como algo ocorrido "no passado". Liliana tinha certeza de que não queria mais ser fada, se é que algum dia havia sido.

[eu tento ser honesta]

As notas intercaladas entre os apontamentos do Caderno Um continuaram na primavera e no verão de 1989. Por um lado, havia os desenhos e números de uma estudante cada vez mais aplicada, e a melhora em suas notas confirma isso, por outro lado, os rabiscos feitos apressadamente por alguém que oscilava com força cada vez maior entre deixar seu passado para trás e atender às novas tentações oferecidas por seu novo ambiente. Entre uma coisa e outra, Liliana aspirava a algo básico, mas complexo: ser honesta. Em 6 de junho de 1989, ela voltou ao tema da desolação:

160689

Eu sou a garota sobre a tristeza
Sou aquela que se converteu em torta de maçã.

Mas logo, apenas uma semana depois, ela me escrevia sobre seu entusiasmo acadêmico numa daquelas notas que nunca chegaram a se tornar cartas no sentido real da palavra:

junho 27 1989
Terça-feira

Querida irmã favorita,

Sinto-me um pouco culpada por não ter escrito antes (acho que sempre digo a mesma coisa, não me lembro), mas estou cheia de trabalhos. Tenho a sensação de que este trimestre será muito pesado (e muito interessante também). O projeto agora é um complexo de férias em Tequisquiapan, Querétaro, já tenho todo o trabalho de campo, em breve (hoje) vou começar a projetar. Finalmente estou cursando História da Arquitetura Mexicana, estou fascinada por essa matéria. Na quinta-feira iniciamos as visitas às obras. Eu acho... ou melhor, tenho planos de estudar reconstrução de monumentos, sabe, depois da licenciatura. Na verdade, é o que penso quando saio do Laboratório (é assim que se chama a disciplina) e quando saio do Teórico ou Metodológico, penso em urbanismo. Não sei.

O mês de julho já havia aparecido em seu calendário emocional com a marca do trauma desde o verão de 1987, quando ela soube de uma infidelidade de Ángel, causando um rompimento que durou apenas alguns meses. Julho de 1989 não seria tão diferente. No início do mês, uma nota enigmática insinuava que sua reserva sempre tão bem-cuidada estava sendo manchada e ali aparecia, rondando ameaçadoramente, o rosto de um bruxo maldito.

030789

Minha privacidade está sendo bombardeada, minha individualidade. Eu me sinto vigiada, observada. A solidão que me protegia sofre rachaduras, aquela camada da qual eu tanto cuidei está sendo perfurada. Toda essa invasão vem de mim mesma (isso é o pior). Eu me invado. Não suporto. Vermes.

julho 6 ou 7 (não sei se já passaram das 12) de 1989

Parece bobagem escrever para você, principalmente quando tenho tanto trabalho, mas me sinto estranha, talvez seja porque eu te amo.

100789

Enquanto vivemos, enquanto nadamos em universos vazios, dia a dia neste aquário de escassez, enquanto o mundo não perde seu estúpido centro gravitacional, parece que tudo é normal, benigno, então, sem pensar, surge o medo, o espanto instantâneo, o apenas perceber a outra possibilidade — aquela que foi almejada durante o tempo todo, aquela que foi esperada o tempo todo — que o rosto irreconhecível do outro nos oferece, um fantasma, um bruxo maldito ronda o espaço desabitado da nossa solidão.

Continuo sendo eu mesma, ainda estou na torta de maçã, devorando a tristeza.

E, no entanto, quanta necessidade de companhia.

Sem uma data clara, mas no mesmo espaço do caderno onde foram registrados os acontecimentos de julho de 1989, reaparecia uma nova ruptura traumática com Ángel:

Eu gostaria que tudo fosse diferente, mas somos tão terrivelmente depressivos, tão diabolicamente complicados, que não havia outra saída. Estou triste, terrivelmente triste, quero fugir de tudo isso, dos últimos três anos, da minha maldade, das suas lembranças, não sei aonde isso estava nos levando. Ainda assim, apesar da lógica, da razão, apesar. Como me sinto terrivelmente mal. Há dois anos você ficou com Araceli. Acho que todos os nossos momentos trágicos aconteceram em julho. Não haverá mais julhos nossos, não haverá mais discussões, não haverá mais respeito. Por quê? Por que as coisas têm que ser assim?

Veja, eu estava te dizendo. Nada é eterno e acho que é isso que me deixa desesperada. Essa é minha raiva. E ultrapassa a razão e a lógica.

*

As recordações. Eu me afogo em imagens, monstros sem rosto me engolem. Acabou. Quantas vezes eu já te disse, Ángel? Nada é eterno. E a raiva, que excede a lógica, que ultrapassa a razão. Seria cruel se eu dissesse, melhor assim. Eu não posso conceber isso. É isso que dói? Será que o terrível fim da infância chegou? Será que a adolescência acabou? Será? Por quê, Ángel? Ángel louco, Ángel bom, Ángel anjo. Como não repetir seu nome? Não há espaço para ressentimentos. Não há espaço para ódio. Você não vai mais ouvir falar de mim. Sou um ponto difuso. Vamos contar os sóis que não surgiram. As nuvens rasas. O suor asfixiante. Vamos contar os amores excluídos.

Os temas voltavam uma e outra vez, como numa melodia doentia. Impressões emocionais. Os acontecimentos do verão de 1987 se mesclavam com as letras do inverno de 1988. Vamos contar os amores excluídos. Vamos contar o que não aconteceu, o que não chegou a ser. O rompimento não apenas encerrava um relacionamento que havia se desenvolvido ao longo de um período universitário de três anos, mas um que existia desde o colégio. E Ángel se transformava, então, numa memória ao mesmo tempo desejada e vil. Eles se conheciam bem. Eles sabiam todos os seus dialetos. Dessa vez, porém, a responsabilidade pelo colapso recaía não apenas sobre a personalidade de cada um deles, mas sobre algo maior, algo que Liliana chamou de pós-moderno, um termo em voga não apenas entre os estudantes de Arquitetura, ao invés de dizer patriarcado. Nesse mesmo mês, e ao contrário das rupturas anteriores que eram monotemáticas, apareceram mais dois nomes em seu caderno: Raúl Espino Madrigal e Leonardo Jasso. A esses dois rapazes, com os quais ela concordou em se encontrar no terreno íntimo e familiar de Toluca, Liliana disse que não acreditava em namoro, que não queria ser propriedade de ninguém. Tratava-se de um tema recorrente desde que ela escrevia no colégio, mas estava aparecendo agora com uma clareza cada vez mais reluzente.

300789

Estou entre um louco suicida e masoquista, um pseudointelectual vulnerável e deprimido, e um papagaio pseudomauricinho de cabeça oca.

300789

Eu gostaria que a resposta a "o que está acontecendo?" fosse tão espontânea quanto a pergunta. Não posso. Não posso dizer que não te amo mais, é que simplesmente não tenho mais 17 anos, possivelmente eu já não seja mais tão vulnerável, possivelmente seja mais ainda. Estou cansada de tudo. Tudo é resultado do pós-moderno. Eu sou o resultado da época, tudo isso é uma bagunça bem organizada e eu sou o resultado de tudo isso. Você dá um show diante de mim.

Eu faço isso na sua frente. Isso é uma relação pós-moderna. Bem, se você entendesse assim, mas tem que acontecer todo esse idealismo (de merda) sobre sentimentos, sobre fidelidade, sobre casos particulares. Estou até a tampa comigo mesma, sou uma garota filha da puta e mentirosa. Não há razão para nada. Estou surpresa que você não saiba.

Queria te ver. Por que não? Por que sim? Porque não. Por que sim? Porque não. Porque sim.

Ángel González Ramos. Leonardo Jasso Ortega. Raúl Espino Madrigal.

Desde que começou a escrever, Liliana sempre foi cuidadosa ao mencionar nomes próprios em suas anotações. E com o tempo ela se tornou mais discreta, depois dos pedidos explícitos de sua prima Leticia, que a aconselhou a omitir nomes de suas cartas para evitar que qualquer fofoqueiro descobrisse a mensagem, se conseguisse dar um jeito de abrir os envelopes. O nome de Ángel aparecia com mais frequência em seus papéis, como uma espécie de ação automática, mas não os de outros destinatários de seus escritos. Por isso é particularmente chamativa a carta que ela passou duas vezes a limpo antes de fazê-la chegar a Raúl Espino Madrigal no verão de 1989. Raúl já a cortejara por bastante tempo naquela época e Liliana, mesmo que às vezes tentada, o rejeitara várias vezes. Ele parecia não entender algo que Liliana tinha muito claro: ela não queria jogos, manipulações, estratagemas. Àquela altura, ela podia reconhecê-los muito bem, mesmo de longe. A honestidade era um conceito fundamental em seu vocabulário íntimo.

Não pretendia escrever para você, mas tenho uma folha diante de mim, possivelmente não faça isso de novo.

Você sabe disso, certo? Eu nunca vou ficar com você. Nunca vou pertencer a ninguém. E isso, às vezes, me deixa triste. E eu sei que você interpretará isso como presunção, mas sabe que não é. Lutei tanto para ser assim, para sentir as coisas da maneira mais espontânea possível, para não condicionar minha vida. E o resultado é um estado constante de incerteza. Você continua pensando que é presunção e não percebe que é apenas uma resposta aos seus planos frustrados. É sim.

Talvez tudo tenha desmoronado muito antes de começar, quando li seu diário pela primeira vez e fiquei com nojo de pensar que a pessoa que eu acreditava estar em busca de algo semelhante à liberdade estava condicionada a oportunidades, a planejar situações, condicionada a um amor totalmente egoísta. Tentei esquecer, ou pelo menos minimizar, mas talvez fosse isso.

*

Não pretendia escrever para você, mas tenho um pedaço de papel diante de mim. Possivelmente não faça isso de novo.

Tento ser concreta e convencionalmente honesta por um momento, você sabe disso, certo?

Eu nunca estarei com você por completo.

Não sou nem remotamente o melhor para você.

Acho que tudo o que eu possa te dizer, você interpretará como presunção. Você é terrivelmente parcial. Você dividiu o mundo entre pessoas de verdade absoluta, os inquestionáveis; e os idiotas. E eu, Raúl? Onde estou? No meio, talvez embaixo, recebendo de você todas as reações de um ou de outro. Sim, estou exagerando. Estou exagerando?

Eu tentei por muito tempo chegar aonde estou, no quase nada. Sim, você vai interpretar como presunção, ou não? Mas você realmente entende? Você com certeza acha que é a saída mais fácil, mas eu quero que isso seja um estilo de vida, e você não foi capaz de entender. Não sei por que lhe ocorreu que você poderia me levar de um lado pro outro. Não, acho que você não entende nada disso. Você considera tudo como uma luta desesperada para ser diferente, você acredita nisso porque essa é a sua luta. Não é a minha, eu tento ser honesta.

[o que você faz se um urso te ataca?]

Liliana iniciou a última década do século XX escrevendo uma carta para Ana Ocadiz. Em papel branco e escrita à máquina, a carta se abre e se fecha ao mesmo tempo. Não é fácil ler um texto em que todos os espaços desapareceram e todas as letras de todas as palavras foram unidas em linhas consecutivas. Na verdade, é quase impossível ler uma carta dessas tendo pressa, apenas passando os olhos pelo papel. O que Liliana usou aqui é um método de opacidade que requer não apenas determinação por parte da leitora, mas também cumplicidade. Sempre se deve calar sobre alguma coisa, dissera a Liliana adolescente anos atrás, deve-se saber dosar. E aqui, escrevendo uma mensagem que quer ser vista e compreendida, mas que, ao mesmo tempo, resiste à leitura fácil ou instrumental, Liliana era tremendamente fiel a si mesma.

O ano anterior a marcara de várias maneiras. Mas, depois da adorável viagem a Oaxaca no verão de 1989, depois do beijo com Manolo antes de partir novamente para Tampico em meados de outubro, depois das cartas apaixonadas que trocou com Ana até o final do ano, percebendo e aceitando que o amor entre elas era real, o nome de Ángel voltava a aparecer. Borrado, confuso entre as letras emaranhadas da quarta linha da carta com que saudava uma nova década, o nome continuava ali.

Quatrodejaneirodemilnovecentosenoventa.essaéasegundacarta
queescrevonadécadaaprimeirafoiparamanoloeissonaverdadeé
estúpidosabeana?àsvezesachoquesoubastantesem-vergonhade
meenvolvercomalguémsabendoqueângelestáaíopioréquenãomepa
recemonstruosoatécertopontomeparecenormalepensandobeméto
talmentesaudávelapesardoquealguémpodechegaralevarasentir
massentirhonestamentesentirtotalmenteselivrardemoralidade
sestúpidasapesardetudoseiquevocêmeentendetodoesseassunto
mechamaaatençãoporquemepareceruimeugostoporqueécomoumjo
goporquenãoseiquantopossochegaraperdernãoseiquantoposso
chegaraganharbemissoatécertopontoémacabromasporacasonão
temostodosnóscertaquantidadedisso?tudoéumjogoaodizersentir
nãofalosódeamorfalodesentirtudooquesepossaébrincardesera
mantesemserrealmenteéalgomuitocomplexoeaomesmotemposim
plesenfimocasoéjogarganhandoouperdendovejoacadeiraquevocê
medeudepresentequandocompleteivinteanosvejomeusbonequinhos
najanelaouçoafitacassettemilvezes(nãoseicomoseescrevecasset)
vejoomanualdoarquitetodescalçadescalçaéumapalavrabonita
tantocomotalvezvocêmevejavoandopelacidadedafúriavocêmeverá
caindocomoumaflechaselvagemvocêmeverácairentrevoosfugazes
meverádormiraoamanhecerentresuaspernasvocêsaberámeocultar
bemedesaparecerentreaneveestaéumamúsicafogosaeeugostobas
tantedelaehojemesentimuitodeprimidaporissonãofuiàescolanão
queriaverninguémlimpeiminhacasaatraindoalgoocultoemcada
sensaçãotalvezparecesuspeitarparecedescobriremminhadebili
dadeosvestígiosdeumafogueirameucoraçãovoltadotorpordescui
dofuivítimadetudoalgumavezdessamúsicatambémgostodemais
teamomuitoteamoteamoteamoteamoemboraàsvezesadesculpapara
meusciúmesboboseissonaverdadeébobagemporqueeumesmametor
nochataissoéserconvenientenaverdadeissosãociúmesmuitocômo
dosnãohproblemanelesmesentimuitoidiotadaquelavezqueembo
raumpoucobêbadameencotravaaindabememquevocêtentasedarcon
taatéquepontovocêmesmapodesetornardesagradávelatéquepon
topodesemachucarasimesmoxingandoaosdemaisvocêjásabesem
prehádesculpasnãosabiaoquediziaestavabêbadaoucoisasassim
masissonãoéaideiaeunãoqueroquevocêmedesculpequeroquevocê
meconheçaseiqueeunãosouruimeissoéopioreuseiteamoenãohápro
vamaislatenteparamimeparavocêqueéaliberdadedemesentirvul
nerávelissomeacontecetodososdiasconheceralguémmesmoque
sejaumpoucoéperigosooconhecimentodeoutraspessoaséalgomui
torudeéaoportunidadedavulnerabilidadeeissoéterríveleboni
tonãofalodoconhecimentototalnemconcretoaissonuncasechega
mashááalgomaisvaliosoeuachonissodosemiconhecimentoouddoco
nhecimentoabstratojásãodezhoraseeunãotinhamedadocontadoso
nonãoprestemuitaatençãonoserrosdeortografiacomamorliliana.

Não sei como posso me envolver com alguém se sei que Ángel ainda está aí. Poucos dias antes da queda do Muro de Berlim, o fantasma de seu nome também parecia passar pela inquietação da nota com a qual começava o Caderno Dois:

06 novembro 1989
... Apesar de tudo, estou aqui.
Estamos aqui, fazendo parte de um núcleo estúpido. Há saídas? Portas? Talvez, se existisse uma única janela.
Qual é o problema? O mundo gira e eu ainda estou aqui, como se nada estivesse acontecendo, estática. Imóvel.

Por que Liliana sempre voltava a um relacionamento que, pelo menos visto de fora, só lhe oferecia instabilidade e danos? Em *Sem hematomas visíveis*, Snyder propõe duas perguntas alternativas. A primeira: por que o predador sempre volta, incansavelmente? A segunda: qual é a reação mais lógica quando alguém é atacado por um urso? A resposta à primeira pergunta abre o campo de quanto ainda há para saber sobre masculinidades atrofiadas num contexto patriarcal. A segunda, acrescenta Snyder, nos leva diretamente a um momento de decisão, a uma decisão de vida ou morte. Se um urso o ataca, você o ataca por sua vez, sabendo que ele pode machucá-lo facilmente, ou você se finge de morto e cede? Snyder me fez entender algo fundamental com esta descrição: "As vítimas ficam porque sabem que qualquer movimento brusco vai provocar o urso. Elas ficam porque com o tempo conseguiram desenvolver algumas ferramentas capazes de acalmar, às vezes com sucesso, o parceiro furioso: imploram, suplicam, prometem, bajulam, demonstram publicamente seu afeto pelo predador e sua aliança contra pessoas, como a polícia ou os advogados ou os amigos ou a família, que poderiam salvar sua vida. As mulheres maltratadas ficam porque veem que o urso se aproxima. E elas querem viver".

Com muita frequência, os sistemas institucionais contra a violência doméstica e o terrorismo de parceiro falham, e o fazem rotundamente, contribuindo assim para aumentar o poder material e simbólico do predador. Em 1990, quando ninguém falava sobre essas coisas, quando a violência de parceiro ainda estava intimamente associada a arroubos de paixão que às vezes se transformavam inadvertidamente em crimes, quando nem as vítimas, nem seus entes queridos, nem mesmo os perpetradores tinham uma linguagem capaz de descrever, e depois de definir, e ainda menos de se contrapor, a violência exercida em nome do amor, com a desculpa do amor, era fácil, dolorosamente fácil, não ter consciência do risco mortal que tal violência implicava. Nessa carta opaca, de difícil leitura, Liliana falava sobre um jogo. Um jogo em que sabia que podia ganhar ou perder. Uma luta de gigantes numa cidade de fúria. Até o último momento, Liliana achou que poderia ganhar. Até o último momento, Liliana pensava que poderia enfrentar o patriarcado sozinha e que poderia vencer.

[fausto e a kinski]

O Censo Geral Populacional e Habitacional é realizado a cada dez anos e, naquele início de 1990, Liliana e Ana decidiram fazer parte da equipe de pesquisadores que fazia perguntas de porta em porta. Fizeram o percurso obrigatório, depois pegaram um mapa e, seguindo as recomendações dos burocratas responsáveis, dirigiram-se ao local que lhes fora atribuído numa sexta-feira ao meio-dia, sob um céu muito nublado. Juntas, que é como elas faziam tudo naquela época, foram aos prédios de San Pablo Xalpa, um conjunto habitacional adjacente à UAM, para irem se familiarizando com o entorno antes do verdadeiro censo, que começaria na segunda-feira seguinte, 12 de março. Uma vez lá, cada uma procurando por seu prédio, descobriram desanimadas que deveriam se separar.

Quando se encontraram novamente no térreo, Liliana já carregava uma gatinha nos braços. Eu a vi justo quando abriram a porta de um apartamento e a tiravam de lá à força, disse ela a título de explicação. Eles a jogaram escada abaixo, acrescentou ela fazendo um pouco de drama. Liliana reclamou com eles, irada. Não é nosso, responderam os inquilinos sem grande embaraço. Realmente não a querem? Porque eu vou levá-la, ela os ameaçou no final. Mas eles só deram de ombros, pouco interessados, e ela, sem outra saída digna à mão, deu meia-volta e pegou a gata.

"E o que você vai fazer com o Fausto?", perguntou Ana, surpresa, lembrando-lhe daquele gato neurótico e meio maluco que vivia com Liliana. Fausto as atacava do nada com muita frequência e então, como se não tivesse feito nada antes, como se sua violência fosse um mero pigmento da imaginação, se aninhava entre suas pernas enquanto assistiam à televisão. O que vou fazer?, repetiu Liliana com um grande sorriso travesso. O que você vai fazer, Ana María de los Ángeles Ocadiz Eguía Lis, com Clementina Camila Natasja O'Gorman, aliás La Kinski?

Ana recebeu o presente com satisfação, sem pensar nas consequências. E, numa carta datilografada enquanto esperavam por mais informações no escritório do INEGI – uma carta também feita de pedaços de linguagem sem espaço entre as letras –, ela agradecia com grande alegria. Nos últimos tempos, ela estava indo mal nas aulas e um humor sombrio, francamente abatido, dominava-a nas horas que não passava com Liliana. Querida e adorada Lilianita, dizia ela. Te amo muito muito muito. A Kinski veio iluminar um pouco sua solidão naquele lugar longínquo da incivilização, que era como ela chamava o lugar no qual morava, bem longe do campus da universidade.

[desprotegida]

A Namíbia alcançou sua independência em 21 de março de 1990. E, pensando na reunificação da Alemanha, Liliana se perguntou: a união das Alemanhas vai incubar, mais uma vez, o ovo da serpente? Naquele início de primavera, ela escreveu uma lista de coisas a fazer: Vacina para gatos, Ração para gatos, Areia de gatos, Falar com a Mónica, POMO, Papel Fabriano, Trabalho metodológico, relatório de TEC (trabalho contrato), Pagar a conta de luz. E então, como se fosse uma ordem burocrática, assinou a nota com seu nome completo. Também teve tempo para escrever outra mensagem a Ángel:

DIA DE PRIMAVERA
Eu gostaria de ser capaz de falar.
" " de ser paciente.
" " que você me considerasse igualmente maldita por toda a sua vida.
" " que existissem paliativos (para você).
" " de não ter sido um deles.

Abril a surpreendeu com uma carta dos ex-colegas de escola e da equipe de natação na qual ela treinara por anos e, em respostas que escrevia para si mesma, ela insistia em se perguntar o que estava se tornando. Já não se reconhecia naquela garota que havia sido três ou quatro anos atrás. E ela gostava da mudança. Numa nota escrita às pressas, quase escondida entre outra pilha de notas, ela se perguntava onde Ángel estaria em 5 de abril. Por volta dessa época, passou a visitar com mais frequência a cafeteria do primo Emilio, aonde ia tanto pela companhia quanto pelo dinheirinho que ganhava no caixa. Às vezes Ángel aparecia no local e Emilio o expulsava logo na hora que o via, sem perguntar nada a Liliana. Emilio desconfiava que Ángel batia nela, e também temia que ele estivesse armado, embora não tivesse provas conclusivas de nenhuma das duas coisas. Por via das dúvidas, pediu aos policiais da demarcação onde funcionava sua cafeteria para que nunca deixassem circular por ali um rapaz baixinho, louro, de olhos claros e mau humor quando a prima estivesse lá. E eles fizeram isso algumas vezes. Em algumas ocasiões, em vez de voltar para a rua Mimosas, 658, Liliana concordava de bom grado em acompanhar Emilio e Iliana à casa que compartilhavam em San Lorenzo Acopilco, nos arredores da Cidade do México. Lá eles fumavam e contavam piadas. Lá eles faziam carne assada e bebiam vinho. Lá eles conversavam sobre filmes e, embora Iliana fosse terapeuta, Lili nunca discutiu sua situação com ela. Pelas janelas da sala, as luzes elétricas da cidade ao lado davam a impressão de serem vaga-lumes.

Eu estava morando em Houston desde o verão de 1988, mas havia voltado para as férias de dezembro e, depois de concluir o semestre da primavera de 1990, voltei na primeira semana de maio para visitá-los, e passei alguns dias com Liliana em Azcapotzalco. Na curta mensagem que deixei em sua prancheta, anunciava, em tinta vermelha: "Maio de 1990 (esqueci o dia). MASA: É cerca de uma hora e já estou de saída. Vamos ver o que acontece. Se eu for, falo com você à noite. Se eu não for, voltarei pra ficar com você. Tchauzinho.

Sua irmã favorita".

Não me lembro quantos dias passei com Liliana naquela ocasião, mas o que sei é que não notei nada em particular. Nada em sua voz, na maneira como ela se comportava, em seu temperamento me alarmou. Nada me fez pressentir o perigo. Nunca, nem mesmo de passagem, ela mencionou para mim os sofrimentos que Ángel lhe causava. Ela mesma os via claramente? Ou ela os via tão claro que sabia que seria perigoso revelá-los? Ela nunca sugeriu, nem mesmo remotamente, que se sentia desprotegida, ou que estava com medo ou que temia por sua vida. Naqueles dias de maio que passei com ela, rimos juntas, fizemos sanduíches e, ao passarmos pela porta da casa, cada uma tomava seu caminho para a cidade.

Dias depois, voltei a Houston para ter aulas durante o semestre de verão. Nas fotos que tiramos antes de ir para o aeroporto, Lili e eu estamos na frente de nossa velha casa, gesticulando de modo cômico uma para a outra e, em seguida, para a câmera. Esbelta, com as mãos nos bolsos de uma longa saia branca, o cabelo preso num rabo de cavalo, Liliana me observa com atenção enquanto fecho os olhos e mostro a língua para a câmera. Então, na próxima imagem, fico olhando para Lili enquanto ela inclina o pescoço para a esquerda e contorce a boca num gesto que nos faz rir. Estávamos rindo de alguma coisa? Certamente. Talvez de nós mesmas. O sol bate em cheio nas paredes brancas da casa e destaca o tom dourado das colunas de tijolos que sustentam o toldo da porta da frente. É a luz seca anterior à estação das chuvas. O céu, que não aparece na fotografia, devia ser irritantemente azul.

Em seu Caderno Quatro, no verso da folha dobrada que anunciava o início da seção de seu Seminário Interdisciplinar, Liliana escreveu no dia 24 de maio uma lista de músicas que, segundo sua prima Leticia, ela estava ouvindo certa vez que falaram ao telefone enquanto ela estava chorando. Como Liliana não tinha telefone no apartamento de Azcapotzalco, e como o dia 24 de maio era uma quinta-feira, é possível que Liliana estivesse em outro lugar. Ou que a lembrança estivesse mesclada com outras datas e espaços.

INTERDISCIPLINAR
Maio 24 1990

*

Minha situação é absurda e trágica. Bem, de acordo com meus limites.

-- Llegando a ti.
-- Qué bonito amor.
-- Ella.
-- Paloma querida.
-- Un mundo raro.
-- Corazón
-- Amarga navidad
-- El jinete
-- Cuatro caminos
-- Vámonos
-- ~~Muy despacito~~
-- Amor del bueno
-- Serenata sin luna
-- Llegando a ti

-- Payaso
-- Lágrimas de amor
-- Amigo organillero

-- Sombras.
-- Entrega total.
-- Carabel
-- Las rejas no matan
-- Bésame y olvídame
-- Esclavo y amo
-- Renunciación
-- El loco
-- En mi viejo San Juan

As vozes viris de Javier Solís e José Alfredo Jiménez acompanham as rupturas amorosas no México há décadas. São canções cafonas, doloridas, teatrais até a ignomínia. Mais do que despeito, essas músicas endossam um amor que se sabe não correspondido, mas que, mesmo assim, ou talvez por isso, não acaba. O amante humilhado, deixado para trás, se regozija em sua dor e jura não deixar de amar a mulher querida. Essas são as músicas que Liliana ouvia no dia 24 de maio, entre lágrimas.

No sábado, 26 de maio, Liliana anotou na margem superior de uma folha solta de cor papaia, com uma letra incomumente pequena, algo que acontecera um dia depois de sua sessão com músicas românticas de José Alfredo Jiménez e Javier Solís:

Ontem aconteceu. E hoje parece que desapareceu. A euforia passou. Não há decepção, ainda estou feliz. Ainda. Aí está você, apesar de tudo... Eu te encontrei. Você é o conhecimento, você é, é?, o amor e a paixão e o desejo de conhecimento. Você é. Você. Liliana.

A mudança era maior agora. Ela não apostava em outra pessoa depois de mais um rompimento, e sim em si mesma. Ela e o conhecimento. Ela e seu futuro. Talvez, naquele mês de maio, Liliana finalmente estivesse pronta para partir. Talvez, naquele mês de maio, Ángel tenha percebido que, agora, sua intenção era firme. Talvez naquele mês de maio ele soubesse que não poderia mais controlá-la e que a havia perdido. Quatro dias depois, Liliana se descreveu como desprotegida pela primeira vez em todo o tempo que passou na Cidade do México. Foi uma nota mínima, escrita na última página de seu Caderno Quatro, uma linha numa caligrafia fina a lápis, marcada com um ponto de exclamação em tinta roxa:

30 maio 1990

É, foi quase insuportável. A viagem de metrô tão desprotegida. Estou em casa, este espaço me pertence!

Não há nenhuma outra informação em seus cadernos ou em suas notas soltas que ajude a desvendar esse enigma. A ameaça, claramente, vinha de fora. Não era gerada no transporte coletivo em si, mas aí se fizera presente na forma de um desamparo sobre o qual ela não refletia e que, portanto, não nos deixou ver. Ela via, em toda a sua profundidade, ela mesma? Poucos dias depois, numa carta que escreveu no dia 4 de junho a Raúl Espino Madrigal, mas que não enviou, voltou a usar o mesmo termo: desprotegida.

junho 4 1990

De repente, tive vontade de pegar meu caderno e escrever (e escrever para você). Agora não sei o que dizer. Procuro e procuro uma folha escrita por você, não encontro... Me sinto mal, sei que você escreveu uma vez naquela folha... Eu tremo, não é de frio, estou nervosa, acho que finalmente entendo o que aconteceu comigo a seu respeito. Não sei como explicar isso e acho que a compreensão não é objetiva, só sinto ternura e tremo, não é de frio.

Onde está essa folha? Não me apego ao passado. Sei, enfim, que o tempo passa ("e estamos envelhecendo"). Eu sei que tem de estar aqui!

Minha história não é mais histeria.

Penso em você, penso em você, em você eu penso, e me assusta porque sua imagem sempre foi acompanhada

de receio, de angústia, de desconfiança; como gostaria de pensar em você sobre um fundo azul, sem manchas. Ontem vi *Sangue ruim*, ainda estou impactada, animada. Como se convencer de que algumas coisas não são posses.
" " " de que eu não me prendo a nada, como te dizer que me sinto desprotegida, como te dizer que… o quê?

Lembro-me daquele dia em Monte Albán, daquele momento, aquele momento eterno entre você e eu. Na verdade, acho que não importa mais. Odeio sentir que quero que alguém me conheça, isso é sempre arriscado. Eu já te amei, possivelmente ainda te ame. Isso é estúpido, uma bobagem.

[você conhece alguém que me faz desejar tantas coisas?]

… Ainda ouço as ondas quebrando ao nosso lado, Ana, ainda aspiro o cheiro do mar, e ainda assim nos encontramos em outro momento e outro espaço. Você se dá conta? As coisas, sendo as mesmas, são diferentes. A chegada de novas pessoas na nossa vida, a chegada de novos conhecimentos e sentimentos. Talvez tenhamos mudado: um ano, um dia, talvez até um segundo são muito para permanecermos estáticas. Eu nunca te disse, talvez você nunca tenha percebido toda a dor que me causou o fato de não termos seguido o caminho juntas. Você pode dizer: não nos separamos. Você poderia garantir isso? Você deve pensar que a escola, as aulas são algo muito mundano para acharmos que são a causa das coisas, mas não fomos descobrindo este tempo, e nesse espaço escolar? Sim, ainda estou magoada, ainda estou irritada.

Talvez isso tenha me feito mudar. Você sentiu isso? Acho que às vezes resultou até em algo violento. Como ontem, o grito, a censura se disfarça num simples "você está se lixando, não gosto disso". E por que não gritar "você não está comigo", "você não está compartilhando nem angústias nem alegrias comigo"? Por que você não está comigo? Por que você não lutou bastante por uma matéria, uma simples matéria? Por quê? Sim, eu sei, talvez a universidade não seja a única coisa nem a mais válida (parafraseando Miquel Murillo), mas não foi isso que escolhemos? Às vezes sou dura nos meus julgamentos, às vezes na frente do espelho eu te critico muito. Às vezes sou injusta. Você não é a única que deveria ser? Sou tão egoísta que cheguei a pensar que minha dor é maior do que a sua.

Não ter saudade me assusta. Acho que nunca deveria ter dito isso. Já não sei o que dizer. Quero te pedir desculpas e te repreender, acariciá-la e bater em você, beijá-la, sentir você perto de mim, gritar, puxar seus cabelos, você conhece alguém que me faz desejar tantas coisas?

Você sabe que eu gosto de você. Você sabe que eu te amo.

Liliana.

["porque na sombra há algo que acabou para sempre"]

Além da presença de armas de fogo ou ameaças de suicídio por parte do predador, e também de ciúme violento, assédio constante e vestígios de violência física e sexual, o Teste de Diagnóstico de Risco que Snyder analisa em *Sem hematomas visíveis* inclui de modo predominante o isolamento crescente da vítima. Aos poucos, ao longo de 1990, o grupo de apoio de Liliana foi se desfazendo, mas ela não o perdeu totalmente. Ana, que fora sua companheira constante, seu braço direito, a presença mais próxima e calorosa no último ano, teve problemas com uma matéria e decidiu mudar de turno, o que reduziu drasticamente o tempo que passavam juntas. Você não está mais comigo, Liliana a censurara numa carta que nunca enviou. Raúl e Leonardo tinham encontrado empregos de meio período que os afastavam da faculdade, e ambos começaram a namorar garotas que, com o tempo, se tornaram suas esposas ou companheiras estáveis. Eu morava nos Estados Unidos fazia dois anos. No final de junho, meus pais embarcaram na tão esperada viagem à Europa. Foi a primeira vez que meu pai pôde pagar a passagem de minha mãe e, embora fosse uma viagem de trabalho que os levava principalmente à Alemanha e à Suécia, eles aproveitariam para passear juntos. Era o coroamento de uma vida inteira de sacrifícios. Era, pelo menos simbolicamente, a meta que haviam se estabelecido há mais de vinte anos, quando deixaram os campos de algodão para sempre, e agora estavam, finalmente, prestes a atingi-la. Manolo, que depois de um breve afastamento tinha voltado a passar a maior parte de seu tempo livre com Lili, fez-lhes o favor de levar seu velho Datsun branco de quatro portas até o aeroporto. Lá eles se beijaram no rosto, despedindo-se com comedimento. Fico feliz por vocês, disse Liliana ao abraçar os dois ao mesmo tempo. E então, como já havia feito tantas vezes, Liliana observou a distância entre ela e os pais aumentar à medida que se aproximavam do portão de embarque. Eles ainda se viraram uma última vez, acenando com as mãos no ar para se despedir. Cuide-se bem, Lili, disseram a ela. Manolo e Liliana levaram o carro para Toluca e voltaram de ônibus para a Cidade do México. Sem serem namorados oficiais, como era a vontade de Liliana, aos poucos, porém, estavam se tornando um casal. Eles faziam os trabalhos em grupo e caminhavam juntos, embora não de mãos dadas, pelas calçadas da universidade. Ele ia buscá-la com frequência em sua casa, um pouco antes das oito horas da manhã, em seu Barracuda vermelho.

Na madrugada de 15 de julho de 1990, quando, segundo testemunhas na rua, Ángel pulou o muro para entrar furtivamente no número 658 da rua Mimosas, Liliana não estava completamente isolada, mas, com exceção de Manolo, faltava-lhe justo nesse momento a companhia de seus amigos mais próximos. O índice no Teste de Diagnóstico de Risco já devia estar alto em maio, no início do oitavo trimestre, mas agora, no começo de julho, acabava de subir mais um grau. O índice de risco de um teste que não existia no México, nem mesmo na imaginação, apenas indicava que o risco era letal.

Alguns de seus amigos mais próximos estavam ausentes, sua família inteira estava fora do país e sua melhor amiga estava atribulada com questões acadêmicas e pessoais. Liliana, porém, não estava sozinha: no andar superior, logo acima de seu apartamento, dormia a família Álvarez, e no aposento contíguo ao quarto-depósito, cuja porta dava diretamente para a sala de jantar onde ficava o colchão de Liliana, dormia Basilia, a jovem que trabalhava nos serviços domésticos. Como um homem pôde assassinar uma garota nessas condições sem que ninguém ouvisse nada?

Junho não havia sido um mês ruim. Segundo Fernando Pérez Vega, Liliana já havia perdido muito peso e, pela primeira vez em toda a sua época de aluna da UAM, deixara para trás a jaqueta de couro, as blusas volumosas e as calças largas. Em vez disso, começou a usar vestidos. Havia um em particular, com pequenas flores cor-de-rosa e azuis sobre um fundo branco que ela usava com calça bailarina clara, que destacava sua cintura e acentuava seus ombros, tornando-a esguia e muito bonita. Era fabuloso descobrir que Liliana tinha corpo! Havia um ar vicejante em tudo o que ela fazia. Ela caminhava mais rápido; sorria mais. No Caderno Três, ela escreveu brevemente suas opções de mestrado e doutorado. E, bem na metade de junho, escreveu uma nota que datou equivocadamente, mas de uma forma bastante interessante, como de 1986. Quatro anos atrás. A letra era irregular e disforme, enorme para seus padrões, e se dividia em duas colunas com o caderno de forma francesa na horizontal. Ao contrário de tantas outras notas, esta foi difícil de decifrar.

160686

Ainda estou sob efeito do álcool, mas não escrevo assim por causa disso, mas porque o ônibus está andando (estou indo para Toluca). Ainda me sinto numa nuvem de atenções sutis, não sei a quem isso é dirigido, talvez a você, Ángel (Ángel irmão), Ou a você, José Luis (José Luis nova ilusão), ou a você, Sergio (detalhista na sensualidade).

Hoje eu amo vocês. Amo vocês.

José Luis?

Até o momento, nenhum dos amigos de Liliana conseguiu me ajudar a identificar esta dupla: José Luis e Sergio, que conviveram com ela numa tarde de sábado, pouco antes de partir para Toluca. Liliana, em todo caso, estava emocionada. E até falava de uma possível nova ilusão. Ángel, por sua vez, não aparecia mais como um interesse romântico ou carnal, e sim como um irmão. E aqui, talvez, esteja mais uma vez a piscadela que revela um distanciamento emocional inédito. Ángel não desempenhava mais o papel de parceiro ou de objeto de desejo. Ángel tinha acabado de se tornar um parente. Talvez até objeto de comiseração. Quem sabe isso explique o esforço repentino e redobrado de Ángel para se imiscuir novamente na linguagem do amor, conquistando-a de volta. E, talvez daí, então, a nota de 25 de junho, que Liliana escreveu com muita raiva e só em maiúsculas, com um traço que denotava o peso de todo o corpo na ponta da caneta:

> 25 junho 1990
> NÃO TE ENTENDO,
> REALMENTE NÃO TE ENTENDO!
> VOCÊ ESTÁ BRINCANDO DE AMOR COMIGO?
> NÃO GOSTO DISSO!
> AGORA SIM, AMANHÃ QUEM SABE?
> SITUAÇÃO PESADA!

> 25
> Vinte e cinco de junho d

Poucas páginas depois, ainda com a mesma tinta, embora com traço mais controlado, Liliana voltou a escrever a frase de Albert Camus com que certa vez consolou uma jovem traída:

> E no meio de um inverno, finalmente aprendi que havia dentro de mim um invencível verão.
> Albert Camus

Estava acordando? Ela havia encontrado uma maneira, dessa vez, de se consolar e aconselhar a si mesma? Seu próprio inverno estava chegando ao fim? Abaixo da nota, que funcionava como uma espécie de epígrafe, Liliana deixou fluir seu mal-estar, sua linguagem, as imagens que a povoavam:

E a luz se condensará...
E caberá em apenas uma das minhas orelhas.
O azul entrará na minha boca
E nos banharemos dele, ele.
Ele?
O azul não é um ele, nem mesmo ela, um nós...
Não "nos".
Não. Gordura. A gordura mata a gordura?
Isso é lógico?
O estômago será um caldeirão?
O caldeirão de uma bruxa... bruxa com uma verruga no nariz.

Na montanha-russa de seu ânimo, o dia 28 de junho a surpreendeu animada:

28 de junho

De repente eu descubro, minto quando digo "de repente", isso está latente em mim há muito tempo: olhos, cenas, mãos, olhos, olhares, a ideia de quem quer que seja não importa, não o vi assim na semana passada? Nasce em um e em outro. Eu realmente não quero amor. Recorrente? Junho. Junho. Junho. Fantástico 28 de junho de 1990. Junho. Junho. Junho. Junho. Junho. Junho. Junho. Junho. Junho. Junho.

É difícil saber o que aconteceu então. Mas a revelação foi capital: a garota que, contra todas as probabilidades, sempre esteve do lado do amor, agora questionava seu posicionamento. Se o amor, como ela havia dito não muito tempo atrás, a magoava, essa renúncia ao amor a colocava firmemente do lado da alegria e da liberdade. Outro amor era possível. Outra maneira de cercar os corpos. Um dia depois, ela recebeu um presente, pois uma nota não assinada, escrita em tinta verde, anunciava: "Surpresa", usando aspas e letras maiúsculas. "Para você que é 'muito especial'. 29-06-90".

Talvez aquela súbita suspeita de amor a tenha forçado a ter coragem. Liliana parecia determinada a tomar as rédeas de sua vida no início de julho. Na agenda que usava naquela época, um caderninho com folhas quadriculadas e pastas plásticas marrons, anotava com sua costumeira caligrafia uniforme e graciosa:

Segunda-feira 9 de julho de 1990

Espero que seja um dia favorável. Espero que amanhã tudo corra bem. Há muitas coisas a fazer e tenho medo de não conseguir... Tenho medo da raiva, do meu temperamento. Revisão operacional. Trabalho de inter. Dados sobre ventos... Atlas. Estudar Laboratório. Trabalho Laboratório. Revisão do TEC. ~~Alvenaria~~. Acabamentos. Instalações. Preparar aula de TEC. Fazer croquis e acetatos.

Se os comentários de seus amigos forem confiáveis, essa é a data em que Liliana finalmente terminou com Ángel. E Lili aqui teme seu próprio temperamento, mas não tem medo dele. Como na carta que escreveu depois do rompimento em julho de 1987, Lili está disposta a acreditar que Ángel é agressivo, temperamental, até um pouco bobo, mas não que seja má pessoa. Liliana não sabe, não tem como saber, não conhece a linguagem que diz claramente que Ángel, quem diz amá-la acima de tudo no mundo, quem diz adorá-la, pode ser capaz de tirar a vida dela. Liliana ainda não sente o fedor do perigo que a persegue.

Em seguida, no dia 11 de julho, Liliana leu uma breve nota no verso de um pequeno anúncio de um ciclo de *Arquitetura religiosa mexicana do século XVI, ontem e hoje (gênese). Arquiteto Carlos Lira Vásquez, quarta-feira, 13 de junho, às 10 horas. K-001.* A nota, que era assinada por Ángel, escrita a lápis e em maiúsculas, dizia: "COM AMOR, PARA LILIANA, 11/JULHO 90".

Não sei ao certo, até agora, se Liliana encontrou Ángel naquele dia na universidade ou se o bilhete acompanhava um presente que ele deixou na sua casa. A julgar pela escolha do papel – um folheto antigo que poderia muito bem ter sido arrancado das paredes dos prédios da faculdade –, o gesto não parece ter sido planejado com antecedência. Como a mensagem inclui as palavras "com amor", é possível imaginar que vinha com outra coisa, algum objeto sem palavras, ou sem espaço para elas. O amor, insistente e letal, maligno e atroz, continuava ali.

Liliana passou seu último fim de semana no apartamento da rua Mimosas, trabalhando em grupo com Juan Carlos Sierra e Manolo Casillas num projeto que eles tinham de entregar na manhã de segunda-feira, 16 de julho. Era uma matéria difícil e eles sabiam muito bem que o trabalho final exigiria muitas horas de dedicação e mais algumas horas de vigília. Na sexta-feira do dia 13, pela manhã, enquanto aguardava a revisão de um projeto da aula de TEC, ministrada pelo professor Alejandro Miramontes, escreveu em tinta roxa em seu Caderno Quatro, ainda na sala de aula:

13 DE JULHO DE 1990
Antes da revisão de TEC
de uma prancheta, observando você
Rosto gentil
Cara de criança
Olhos grandes
Sardas
Cabelos rebeldes
Cabelos de lua
Mãos habilidosas
Como confundir essas mãos com a expressão de uma criança fazendo seus primeiros rabiscos?
Eu poderia dizer seu nome
Eu poderia dizer que hoje te amo
Mas ambas as coisas seriam mentira
Teu nome, o amor, seriam falácias.

Os nomes mudam porque o amor vai de um lado para o outro, nunca poderei considerá-lo um absoluto.

Eu amo.
Não importa a coisa, o nome, a hora ou o espaço.

Eu olho para trás, você ainda está aí. Essa expressão me oprime, me persegue, me preenche. Cabelos de lua.

Quem é essa pessoa que Liliana observava meio distraída, meio entediada, da prancheta enquanto esperava que o professor desse nota ao seu projeto? A ausência de pronomes torna essa tarefa difícil. Mesmo quando uma criança é mencionada, o substantivo é universal o suficiente para carecer de gênero específico. Ana era a única entre as amigas de Liliana que tinha sardas no rosto. Seriam seus cabelos crespos, um tanto desgrenhados, o que Liliana carinhosamente chamava de "cabelos rebeldes", "cabelos de lua" quando a olhava de longe? Seriam suas mãos, apressando-se sobre um plano, as "mãos hábeis" que ela não conseguia confundir com as de uma criança? Não tenho respostas a essas perguntas. Ainda não sei quem era aquela pessoa que Liliana dizia amar agora, depois de ter questionado o amor. Como na briga que tivemos muitos anos antes, trancadas dentro de um carro em frente a um mercado, Liliana se postou aqui, sem hesitar, novamente do lado do amor. Mas, a essa altura, o amor já era outra coisa. Seu calcanhar de aquiles, sim, mas também, como dizia Ana, seu superpoder.

Liliana falava aqui, como fazia desde a infância, de um amor livre. Não o amor egoísta que unia os casais, mas um amor tão enorme, tão absoluto que não se curvava a nada, fosse esse nada uma coisa, um nome, um tempo ou um espaço. Um amor mercurial, mutável, que se ligava e desligava da matéria do mundo à vontade, esse era o amor de Lili. Mas algo estava errado. Algo a havia alertado porque no dia seguinte, sábado, 14, também pela manhã, Liliana insistiu em sua capacidade de não se deixar cair, em sua capacidade de se levantar novamente. Talvez o sermão sobre o amor, sua insistência num amor que atravessasse de maneira livre corpos e mentes, surgiu em resposta às pressões que o amor egoísta estava tentando impor-lhe mais uma vez. Foi então que ela mencionou, pela primeira vez e de forma indireta, através da citação de uma letra de música, uma ameaça contra sua vida.

Raiva e desânimo, incredulidade e sarcasmo se misturavam com cada uma das palavras transcritas. A letra da música que, por mais que eu tenha procurado, não encontrei, assegura que o amante não pode atentar contra a vida do outro porque o outro já contém a vida de ambos. E aquele amante poderia realmente atentar contra a própria vida, nesse caso? Liliana finalizava a transcrição com uma ironia: música bonita, hein?

14 JULHO 1990
Acabei de acordar.

Acordei nervosa, triste... mas penso e repito para mim mesma que não posso me abater... eu não posso, por mim e por você... o que você disse ontem me machucou, você não pode me tratar assim... além disso, eu não permitiria.

"Porque, diga o que disser,
Já faço parte da tua vida,
E contra si você não deve atentar."
(música bonita, hein?)

Naquela tarde de sábado, depois de ter trabalhado o dia todo, Juan Carlos Sierra convidou Manolo e Liliana para uma festa lá pelas bandas de Echegaray, no estado do México, e os três foram para lá. Pensaram que seria uma boa maneira de relaxar antes de se dedicarem à tarefa final, que seria no domingo. Eles se divertiram um pouco, tomaram algumas cervejas e voltaram cedo. Manolo foi deixar Liliana à noite em Mimosas. Ao acordar naquele dia 15 de julho, às dez e meia da manhã, Liliana escreveu:

15 JULHO 1990 10:30

Quanta vontade de deixar de ser fada em uma terra de gelo! Quanta necessidade de companhia.

Juan Carlos estava cansado e não veio naquele domingo. Manolo chegou cedo e eles começaram a trabalhar na mesma hora para terminar o projeto no prazo. E ficaram ali, às vezes conversando, às vezes em silêncio, alternando o uso da prancheta e repassando as notas. Ligaram o toca-fitas e ouviram "La ciudad de la furia" novamente. Talvez tenham bebido algumas cervejas. Por volta das dez horas da noite, quando já estava escuro, Manolo disse a Liliana que deveriam parar. Ele foi embora satisfeito porque estava quase tudo pronto. Ainda podiam melhorar uma coisa ou outra, mas o principal já estava feito. Fique aqui, sugeriu Liliana. Assim saímos cedo juntos amanhã. Manolo hesitou. Isso significava que Liliana estava apostando nele agora? Ou era um daqueles convites que Liliana jogava descuidadamente com certa facilidade só porque se sentia sozinha? Não posso, Lili, ele lhe disse. Combinei com minha mãe que ia para casa hoje. Liliana se mostrou desapontada, mas não insistiu. Parecia cansada, até mesmo exausta, mas ainda assim, quando Manolo se aproximou para lhe dar um beijo de despedida, achou-a linda. Não me deixe tímido, gatinha, ele disse a ela. Amanhã vou passar cedo para te pegar, como sempre. Vamos levar essa coisa juntos para a universidade e assim encerramos o trimestre.

É difícil saber com certeza o que Liliana fez entre as dez da noite daquele dia nublado, um tanto chuvoso, e aquela hora ainda vaga da madrugada, quando Ángel voltou a invadir seu espaço. A julgar pela tinta em que foram transcritos, ela pode ter usado algumas daquelas horas da madrugada, quando ainda estava sozinha, para escrever com sua própria letra os poemas que estava lendo. Ocupou uma página quadriculada de seu Caderno Quatro para passar a limpo "Presencia", o poema que José Emilio Pacheco dedicou a Rosario Castellanos, a poeta que foi acidentalmente eletrocutada ao tentar acender um lampião em Jerusalém. E, na página seguinte, transcreveu um parágrafo de Chaucer, sem título; bem como o poema “Luz y silencio”, do livro *Los elementos de la noche*, de José Emilio Pacheco:

Presencia

Homenagem a Rosario Castellanos

¿Qué va a quedar de mí cuando me muera
sino esta llave ilesa de agonía,
estas pocas palabras en que el día
deja cenizas de su sombra fiera?

¿Qué va a quedar de mí cuando me hiera
esa daga final? Acaso mía
será la noche fúnebre y vacía
que vuelva a ser de pronto primavera.

No quedará el trabajo ni la pena
de creer y de amar. El tiempo abierto,
semejante a los mares y al desierto,

ha de borrar de la confusa arena
todo lo que me salva o encadena.
Mas si alguien vive yo estaré despierto.[20]

[José Emilio Pacheco]

---

[20] “O que vai sobrar de mim quando eu morrer / além dessa chave ilesa de agonia, / essas poucas palavras quando o dia / deixa cinzas de sua sombra feroz? // O que vai sobrar de mim quando me machucar / aquela adaga final? Talvez minha / será a noite fúnebre e vazia / que venha a ser primavera de novo. // Não haverá trabalho ou luto / de acreditar e amar. O tempo aberto, / como os mares e o deserto, // tem que apagar da areia confusa / tudo que me salva ou me acorrenta. / Mas se alguém viver, eu estarei acordado.” (N. T.)

Cuando tendido en mi cama dormido completamente
despierto
estaba para mí, pero porque no podía
descansar yo no lo sabía, porque ningún ser terrenal
(como yo supongo) tenía más dolencias
que yo, porque yo no tenía males o enfermedades[21]

[Chaucer]

Todo lo que has perdido, me dijeron, es tuyo.
Y ninguna memoria recordaba que es cierto.

Todo lo que destruyes, afirmaron, te hiere.
Traza una cicatriz que no lava el olvido.

Todo lo que has amado, sentenciaron, ha muerto.
Porque en la sombra hay algo que acabó para siempre.

Todo lo que creíste, repitieron, es falso.
Cayeron las palabras en que empezó tu tiempo.

Todo lo que has perdido, concluyeron, es tuyo.
Una luz fugitiva anegará el silencio.[22]

[j. e. pacheco]

---

[21] "Quando deito em minha cama dormindo completamente acordado / estava lá para mim, mas porque eu não podia / descansar eu não sabia, pois nenhum ser terreno / (como eu suponho) tinha mais doenças / do que eu, porque eu não tinha males ou enfermidades". (N. T.)

[22] "Tudo que você perdeu, me disseram, é seu. / E nenhuma memória lembrava que é verdade. // Tudo que você destrói, afirmaram, machuca você. / Trace uma cicatriz que não lave o esquecimento. // Tudo o que você amou, sentenciaram, morreu. / Porque na sombra há algo que acabou para sempre. // Tudo em que você acreditou, repetiram, é falso. / As palavras com que seu tempo começou caíram. // Tudo que você perdeu, concluíram, é seu. / Uma luz fugidia preencherá o silêncio." (N. T.)

O médico forense estabeleceu as 5 horas da madrugada do dia 16 de julho de 1990 como a hora oficial de sua morte. Meus pais estavam cruzando o Mar do Norte num pequeno avião naquele momento.

Havia tormenta.

IX

OBSCURO CRIME

If you pick up a flower, if you snatch a handbag, if you possess a woman, if you plunder a storehouse, ravage a countryside or occupy a city, you are a taker. You are taking. In ancient Greek you use the verb ἁρπάζειν, which comes over in Latin as rapio, rapere, raptus sum and gives us English rapture and rape – words stained with the very early blood of girls, with the very late blood of cities, with the hysteria of the end of the world. Sometimes I think language should cover its own eyes when it speaks.[23]

Anne Carson, *History of War: Lesson 3*

---

[23] "Se você colher uma flor, se você roubar uma bolsa, se você possuir uma mulher, se você saquear um armazém, destruir um campo ou ocupar uma cidade, você é um tomador. Você está tomando. No grego antigo usa-se o verbo ἁρπάζειν, que em latim significa rapio, rapere, raptus sum e, em inglês, êxtase e estupro – palavras manchadas com o sangue muito precoce das meninas, com o sangue tardio das cidades, com a histeria do fim do mundo. Às vezes acho que a linguagem deveria cobrir os próprios olhos quando fala." (N. T.)

[descoberta]

Foi um dia chuvoso. Manolo chegou à casa de Liliana às sete e dez da manhã, conforme tinha prometido. Ele havia se levantado cedo para tomar banho, para arrumar aquele cabelo rebelde em que, às vezes, ainda se notava o reflexo avermelhado da infância. Até teve tempo de tomar o café da manhã com calma. Quando entrou no Barracuda vermelho que seu pai havia lhe dado, pensou apenas que faltava menos para concluir o semestre. Não tinha sido fácil terminar aquele último trabalho no fim de semana, mas ele estava feliz. Pronto para o que viesse. Pronto para o futuro. Estava com uma música de Óscar Chávez na cabeça quando estacionou em frente à casa de Liliana. Que brega, ele repreendeu a si mesmo. E então sorriu sozinho. Assim ela lhe diria: que brega. Ele bateu à porta da frente e Basilia, que Liliana apresentara há apenas algumas semanas como a nova empregada doméstica da família Álvarez, veio abri-la. Bom dia, disse ele. Ele atravessou o pátio e abriu a porta do apartamento de Liliana, que não estava fechada à chave, mas tampouco entreaberta. Como ele não a viu de pé, gritou algo da entrada. Tinha pressa. Eles precisavam entregar o trabalho ao qual haviam dedicado muito tempo e era melhor serem pontuais. Do outro lado do cômodo, no espaço que originalmente correspondia à sala de jantar, ficava a cama de Liliana, e sobre ela, sob as cobertas, estava desenhada a silhueta de seu corpo. Todo o resto parecia estar no lugar. Não havia ordem, mas também não havia desordem. Com o tempo, ele se familiarizara com as regras da bagunça de Liliana e, sabendo que haviam trabalhado até tarde, entendeu que ela não tinha tido tempo de arrumar o quarto. Depressa, gata, vamos chegar atrasados, disse-lhe ao perceber que ela não se levantava. Ele olhou ao redor da cozinha e viu que tudo estava lá como ele havia deixado na noite anterior. A falta de resposta de Liliana o intrigou. Ele caminhou em sua direção. Lentamente. Uma piada. Com certeza era uma daquelas brincadeiras que Liliana fazia de vez em quando para divertir a todos. Pareceu-lhe estranho que todo o seu corpo, incluindo a cabeça, estivesse coberto pela colcha xadrez. Lili, ele lhe disse novamente, descobrindo seu rosto, preparado para a gargalhada com a qual ela certamente o saudaria naquela manhã. Te peguei, ela diria a ele.

Liliana estava de olhos fechados. A boca entreaberta. Estava inclinada no braço esquerdo e seus cabelos lisos, todos juntos, cobriam-lhe o rosto. Ela parecia estar dormindo, mas havia algo estranho em sua imobilidade. Algo flácido e pesado ao mesmo tempo. Algo que ele nunca tinha visto nela. Lili, ele disse mais uma vez. Quando puxou a colcha, percebeu que ela estava completamente vestida, com a calça jeans e a blusa abotoada. Mas não se mexia. Por instinto, roçou sua bochecha e um frio atroz, um frio que ele nunca havia sentido antes em sua vida, grudou-se à ponta de seus dedos e se espalhou por todas as células de seu corpo numa velocidade insana. Então, de chofre, o desespero subiu por sua espinha. Gritou. Foi então que ele gritou. Ele gritou seu nome e pediu ajuda. Logo, já estavam na sala, perto dele, tanto José Manuel Álvarez como Basilia, ambos com a respiração agitada atrás do seu pescoço. Alguma coisa está errada com Liliana, ele avisou. Eles se entreolharam. Eles olharam para ela, perplexos, sem saber o que fazer em torno de seu colchão. Liliana está morta, acrescentou sem pensar. Sem saber ao certo o que dizia. Eles olharam para ela novamente sem ousar tocá-la. O dono do imóvel voltou para casa, subindo apressado as escadas para chamar uma ambulância. Liliana está morta, murmurou Manolo. Incrédulo. Completamente paralisado. Lili, ele disse de novo, agachando-se na frente dela. Então percebeu as marcas em seu pescoço e os dois hematomas em seu rosto. Os lábios roxos.

As coisas, depois, aconteceram muito rápido. A ambulância chegou. Manolo não percebeu se as enfermeiras tentaram reanimá-la ou se se limitaram a confirmar o veredicto que saltou de seus lábios quando seu corpo soube, antes dele, o que havia acontecido. Houve outros telefonemas, dessa vez para a polícia. Logo, os peritos e os delegados chegaram. Quem é você, perguntaram a ele? Um colega de escola. Estava vindo pegá-la para irmos à aula. Um colega de escola? Eles repetiram com um sorriso irônico. Enquanto os policiais vasculhavam a sala e começavam as rodadas de perguntas na rua, Manolo subiu para pedir o telefone emprestado e falar com Fernando Casillas, um primo advogado. Ele contou depressa, atropeladamente, o que estava acontecendo. Você foi o último a vê-la viva?, perguntou. Parece que sim. E foi você quem a encontrou sem vida? Sim, disse ele. Você está com problemas, ele resumiu. Não responda nada até eu chegar. Antes de sair, Fernando ligou para a secretaria da universidade e conseguiu entrar em contato com Ana Ocadiz. Aconteceu uma coisa, ele disse a ela. Você tem que ir para a casa de Liliana agora mesmo. Manolo, enquanto isso, contatou Ángel López. Ele resumiu os fatos da melhor maneira que pôde e pediu-lhe que viesse imediatamente. Poucos minutos depois, já na universidade, Ángel López pegou Gerardo Navarro pelo cotovelo e o afastou dos demais alunos. O que é?, disse Geraldo. Mataram Liliana. Você está brincando, ele respondeu. Não, não estou brincando. Vamos lá. No caminho, encontraram Juan Carlos Sierra, com quem Liliana estivera fazendo um trabalho na sexta-feira e no sábado anterior, que os cumprimentou e, depois de ouvir a história, seguiu-os em outro carro.

Os policiais começaram a fazer perguntas aos vizinhos. Então, descobriram que um jovem baixinho de cabelos louros e olhos claros estivera rondando o quarteirão na madrugada anterior. Não foi difícil para eles reconhecê-lo porque o viam com frequência, seja esperando por Liliana em seu carro, seja dirigindo a toda a velocidade uma motocicleta muito barulhenta pela vizinhança. Manolo lhes disse que seu nome era Ángel. Era namorado dela? Na verdade, não mais, Manolo hesitou. Era um sujeito que Liliana não queria mais ver. Tem certeza disso? Em silêncio, começou a ligar os pontos: talvez Ángel tenha ficado rondando a casa de Liliana durante o fim de semana e os tivesse visto ir e vir desde a tarde de sexta-feira, às vezes desaparecendo atrás de paredes que bloqueavam sua visão, e questionando, então, seu controle. Talvez isso o tenha enfurecido. O que Ángel iria fazer, convencido como estava de que Liliana pertencia a ele, e apenas a ele? Como um covarde manipulador reagiria senão esperando do lado de fora de sua casa até ter certeza de que ela estava sozinha, triste, nervosa?

O cérebro de Manolo trabalhava rápido, às vezes em círculos concêntricos, às vezes ao contrário, às vezes em direção a pontos de fuga onde sua respiração faltava. Talvez ele os tivesse visto saírem no sábado. Talvez naquele domingo ele tenha visto Manolo entrar na casa de Liliana um pouco depois das dez e meia da manhã, e só o viu sair às dez da noite, imaginando-os juntos, próximos, brincando. E se fosse culpa dele? E se ele tivesse sido a causa de seu ciúme e ódio? O que ele ouviu, enquanto amarrava e desamarrava as pontas, é que Ángel tinha dado três mil pesos aos vagabundos do quarteirão, uns viciados que moravam bem em frente ao número 658 da rua Mimosas com quem fizera amizade, porque lhes pagava com drogas pelas informações que podiam dar a ele sobre as idas e vindas diárias de Liliana. Ele estava sempre a vigiando, Manolo murmurou então, e sentiu os batimentos cardíacos aumentarem sob seus pulsos. Na noite anterior, de madrugada – conseguiu ouvir outra testemunha dizer –, Ángel encontrou o portão fechado e pediu a um dos drogados que o ajudasse a pular o muro de entrada, que de qualquer maneira não era muito alto, juntando as mãos para que pudesse tomar impulso a partir dali. Manolo, impávido, voltou a olhar para o céu nublado da manhã, depois para a rua: embora Ángel viesse de vez em quando, embora continuasse morando em Toluca, tinha conseguido mantê-la sob seu controle. Os batimentos novamente nos pulsos, nas têmporas, nos tímpanos.

Quando Ana chegou, a casa de Lili já havia se convertido em cena de crime. Ela confirmou que o nome correspondente à descrição das testemunhas era Ángel González Ramos. Seus cachos estavam bagunçados na cabeça e ela tinha o olhar ferido. Queria ver Liliana o quanto antes para poder acreditar, para abraçá-la, para sentir que não a havia perdido para sempre. Não pode ser, repetia sem parar. Me diga que isso não é verdade? Ela estava disposta a acreditar, mesmo agora, que tudo aquilo era uma brincadeira de mau gosto ou, quando muito, um mal-entendido muito elaborado. E quem é você?, perguntaram a ela. Ela os encarou, recuperando o controle dos lábios trêmulos e da voz. Eu sou sua amiga. Eu sou amiga da Liliana. Eu sou dela. O que Ana conseguiu ouvir enquanto a faziam esperar no pátio da casa foi que, de madrugada, Ángel pediu emprestada uma vassoura a um bêbado da casa do outro lado da rua para abrir o trinco interno do portão. Uma vez lá dentro, ele havia retirado com cuidado um dos pedaços da veneziana de vidro para que pudesse abrir a porta do apartamento de Liliana por dentro. Você o conhecia?, os policiais perguntaram a ela. Sim, disse. Você pode descrevê-lo? Tenho uma fotografia em casa, se isso ajudar.

O que Gerardo conseguiu ouvir assim que chegou, apressado, suado, com a boca cheia de sede e cheia de espanto, foi que o vizinho do outro lado da rua, não os drogados, emprestou a vassoura a Ángel tarde da noite. Se aquele vizinho não estivesse acordado, nada disso teria acontecido, ele pensou. Então, como ninguém estava prestando atenção, Geraldo entrou no apartamento de Liliana, que não tinha sido isolado, e o percorreu centímetro a centímetro. Liliana estava deitada, como Manolo havia declarado, no colchão, totalmente vestida. À primeira vista, não havia nenhum hematoma no rosto, mas uma tonalidade roxa na pele. Então, olhando para ela com mais atenção, Gerardo notou que um botão de sua blusa estava desabotoado e o zíper da calça meio aberto. Uma mancha na altura do quadril deu-lhe a entender que Lili havia feito xixi. Todo o resto estava em ordem. Era o quarto de Liliana, intacto. Ele se lembrava perfeitamente, pois havia passado ali muitas horas de trabalho e de comemorações. Aqui, disse a si mesmo, fiquei bêbado pela primeira vez. E, naquele momento, ele chorou.

Manolo, que se tornara o principal suspeito do crime, foi levado à delegacia para prosseguir com o interrogatório. Enquanto isso, os policiais que já haviam coletado as informações sobre Ángel analisaram a fotografia que Ana compartilhou com eles e pediram que ela os acompanhasse até Toluca, na avenida Pino Suárez, nº 2.006, local que ela já havia visitado uma vez. Você sabe que é com carinho, ainda dizia a dedicatória no verso da imagem.

Março de 1990. Uma mulher de meia-idade atendeu a porta de metal. Mas, quando perguntaram por ele, disse que não o tinha visto recentemente. Ana, que tentava enxergar dentro da casa, conseguiu reconhecer na garagem a moto preta que Ángel dirigia naquela época. Então, instintivamente, virou-se para os telhados das casas que ficavam lá dentro. Dias depois, soube que um dos vizinhos declarou que Ángel havia empreendido a fuga justamente pelos telhados das casas quando soube que a polícia estava se aproximando. Eles o pegaram desprevenido. Não contava que os amigos de Liliana achassem seu corpo logo de manhã, apenas algumas horas depois de sua fuga, nem que a polícia o encontrasse tão cedo.

Ainda era antes do meio-dia quando Tomás Rojas Madrid, repórter do *La Prensa*, chegou ao número 658 da rua Mimosas. Delgado, hábil em seu ofício, observou a cena do crime com olhos de especialista. Ele já havia testemunhado inúmeros massacres, fúrias assassinas, corpos decapitados. A notícia de uma jovem assassinada, sobretudo uma universitária, tinha potencial para a primeira página do jornal. Mas a garota estava completamente vestida e a casa em ordem. Não tinha suficiente impacto para a fotografia de capa, ele murmurou enquanto prestava atenção nos interrogatórios.

Entre uma coisa e outra, ele fez suas perguntas e ouviu atentamente as respostas. Como era necessária a presença de um familiar para a identificação do corpo, um grupo liderado por Ángel López dirigiu-se a Toluca, onde sabiam que os pais de Liliana viviam. E outra comitiva saiu com a missão de encontrar o primo de Liliana que morava na cidade, de quem Ana só conseguiu dizer que tinha uma cafeteria na demarcação Álvaro Obregón. Aqueles que chegaram a Toluca logo perceberam que não havia ninguém em casa. Bateram à porta por um tempo, sem obter resposta. Quem são vocês?, perguntou a vizinha da casa do outro lado da rua. O que vocês querem aqui? Somos colegas de classe de Lili, seus amigos da faculdade disseram. Queremos falar com os pais dela. Para quê?, a vizinha os questionou novamente, desconfiada. Aconteceu uma coisa horrível, conseguiram dizer. A vizinha deu-lhes a chave da casa e entrou com eles para encontrar um número de telefone, um endereço, qualquer coisa que lhes permitisse localizá-los em sua viagem. Eles procuraram com avidez em agendas e bloquinhos. Examinaram algumas cadernetas. Leram as mensagens deixadas ao lado do telefone. Não encontraram nada. Acho que eu tenho um número, disse finalmente a vizinha. Não deles, mas de alguém da sua família, esclareceu. Talvez eles possam encontrá-los. Eles discaram o número de uma irmã da mãe que morava em Tamaulipas. E foi só então, depois daquele telefonema, que voltaram. Iam arrasados. Quanto mais pensavam no que tinham acabado de fazer, menos acreditavam. A adrenalina acabara e lá estavam eles, os corpos como sacos cheios de pedras nos bancos de um carro velho. Apenas o zumbido do motor era ouvido no carro com cheiro de cigarro. Sua única irmã não morava em Houston?, um deles perguntou em voz alta. Sim, eles se lembraram em uníssono, enquanto observavam os pinheiros sombrios de La Marquesa dos dois lados da estrada.

[1703 albans]

A hora é confusa. Está muito escuro para ser uma tarde de verão e muito claro para ser verdadeiramente de noite. O choque de nós dos dedos contra a madeira pintada de branco. Uma vez e depois outra. Toda a estranheza desta ação: bater à porta. Ninguém faz isso sem avisar, não nos Estados Unidos. Ninguém se apresenta à porta de um apartamento no andar térreo de um pequeno prédio no final de um beco sem saída sem primeiro anunciar a visita. Ninguém, exceto as testemunhas de Jeová ou as *girl scouts*, que vendem biscoitos no Natal. Pelo minúsculo olho mágico da porta é possível ver os cabelos escuros e lisos de duas mulheres virando a cabeça da direita para a esquerda. Inquietas. Perdidos, seus olhos. As bolsas de couro penduradas nos antebraços. Você é parente de Liliana Rivera Garza? Basta essa primeira pergunta, esboçada timidamente em espanhol, para saber que se trata de algo extraordinário. Algo fora do comum. São mulheres que trabalham no Consulado do México em Houston. Seus nomes e funções se perdem entre frases entrecortadas e olhares que se retraem em direção ao interior do crânio. Lamentam muito. Olham para baixo ou uma para a outra, tentando decidir quem vai dizer a próxima frase. Houve um acidente. O silêncio que se segue a certas declarações faladas pela metade. A impossibilidade de continuar. Não, não está num hospital. Foi. Sussurram. Fatal. Não têm mais dados. Só têm esta missão nesta tarde de julho: notificar o único parente que conseguiram localizar. Para te dar a notícia. Para que você saiba.

Alguém deve pressionar as teclas quadradas de sete números para fazer a primeira ligação. Alguém deve pronunciar as palavras com cuidado. Enquanto isso, alguém observa a tensão que mantém intacto o cabo em espiral que conecta o dispositivo preto ao bocal. A tensa distância entre os dois. Alguém deve dar a notícia que, por sua vez, se tornará notícia em outro dispositivo preto. Alguém desliga. Alguém enfia algumas coisas na bagagem de mão e espera. Alguém se aproxima da porta. Alguém parte num carro. Alguém compra a passagem de avião num balcão, oferecendo dados pessoais, documentos de imigração e um cheque com uma assinatura nervosa, quase ilegível. Alguém se senta na poltrona solitária da sala de espera e, pouco depois, na poltrona do corredor de um avião. Os joelhos flexionados e juntos. As mãos nas coxas. Alguém caminha. Alguém se livra da mão que está tentando agarrar seu cotovelo com um movimento rápido e brusco. Alguém olha para a frente. Alguém olha pela janela: uma vez amei a Cidade do México com toda a minha alma. Alguém fecha os olhos. As mãos. Os ouvidos. A nuca, ligeiramente para a esquerda, contra o respaldar que parece de couro, mas não é de couro. Que tenha tido um grande amor, murmura alguém timidamente, em inglês. Alguém abre os olhos de repente. A tensão nas mãos, mais uma vez. Mandíbula cerrada. A pontada de reconhecimento que percorre a espinha: perceber, saber tudo de chofre, não ter a menor dúvida. A consciência funciona assim às vezes. Alguém põe os pingos nos i's. Seus olhos, lembra-se. Seus olhos atribulados. Todo o sol de inverno sobre seus cabelos castanhos e, no rosto contra a luz, no rosto quase velado, aqueles grandes olhos por trás dos óculos de aro dourado. Incrédulos. Mortificados. Uma pergunta candente. Seus olhos, os olhos da minha irmã, e a turbina do avião. E o passo acelerado das aeromoças. E o ar viciado de tantas respirações juntas.

[receber um corpo]

Emilio Hernández Garza recebeu a notícia na segunda-feira, 16 de julho, às cinco da tarde. Ricardo Herrera e Óscar de los Reyes, que eram advogados e amigos de seu irmão Fernando, tentaram alcançá-lo na cafeteria, mas, na hora que chegaram, ela já estava fechada, então foram direto para a casa de San Lorenzo Acopilco, que eles conheciam bem. Assim que viu seus rostos à distância, soube que algo sério estava acontecendo. Ricardo o abraçou e disse: tenho más notícias para você. A paralisia foi algo repentino que lhe subiu ao pescoço e não o deixou reagir. Depois, como se fosse uma voz do outro mundo, conseguiu ouvir que, por ser o único parente próximo disponível, tinha que se dirigir à Agência Azcapotzalco para reconhecer o corpo. Seu irmão estava em Michoacán, mas já estava voltando.

Os advogados o levaram direto para a casa de Mimosas, que a essa altura estava isolada, mas o corpo de Liliana já havia sido levado ao Semefo,[24] por onde deveriam passar todos os que morriam em condições violentas ou de morte suspeita. Sem pensar muito, foi para lá enquanto Ricardo e Óscar cuidavam da papelada. Que lugar gelado. Seus sapatos escorregavam no chão cheio de água, por onde deslizavam

[24] Servicio Médico Forense, semelhante ao Instituto Médico Legal no Brasil. (N. T.)

às vezes os cadáveres não reclamados por ninguém. Foi apenas à uma da manhã que ele conseguiu vê-la. Sua prima. A garota que uma vez o fotografou dormindo num banco de parque e o acordou mais tarde com uma gargalhada festiva. A garota com quem ele ia ao cinema com devoção, com um vício compartilhado. Aquela que se pendurava em seu pescoço enquanto eles caminhavam só para lhe dizer "você é meu primo favorito". Sua prima. Ela estava nua, tão bonita na morte quanto fora em vida. Ele poderia dizer que por trás de seus olhos fechados sentia-se um pouco de paz? Em todo caso, não havia nenhum traço de dureza ou espanto em seu rosto. Temendo os maus-tratos de seu corpo esguio, de seu corpo muito jovem, ele ficou esperando muito perto dela, sem tirar os olhos de Lili. Sua prima. Que ele viu crescer. Para quem, tantos anos atrás, ele escreveu uma carta que, tinha certeza, conhecendo-a como a conhecia, ela ainda conservava em algum lugar. Quando perguntou aos policiais o que havia acontecido, eles lhe disseram, sem qualquer delicadeza, na linguagem mais direta que encontraram, que o assassino pusera uma almofada sobre seu rosto e a sufocara. Morte por asfixia. Quem pode fazer algo assim com uma garota? Algo assim como o quê? Como matá-la primeiro e estuprá-la depois. Os funcionários que cobriam a boca e o nariz cantarolavam entre si enquanto manuseavam os braços e as pernas dos corpos indefesos. Sua prima.

O corpo de Liliana foi entregue a ele na terça-feira, dia 17 de julho, às duas da tarde. Talvez um pouco mais tarde. Talvez até algumas horas depois. Ele não tinha dormido nem comido nada, mas precisava continuar. Estava vestindo a mesma camisa e calça do dia anterior. O cheiro de suor e o cheiro de tristeza se misturavam em suas axilas e na virilha. Graças a uma secretária do Semefo, que permitiu que recebesse ligações, soube que tio Aristeo estava para chegar a Toluca, vindo da cidade de Anáhuac, e que alguns membros de sua própria família, inclusive seu pai, estavam dirigindo um carro quase em ruínas de Tampico. Um ex-vizinho da família, Rafael Ruiz Perete, também de Toluca, chegou a tempo de contratar o serviço do carro fúnebre que levaria Liliana do Semefo ao pedaço de terra do cemitério aos pés de um vulcão que sua mãe comprara anos atrás sem pensar, sem nem imaginar, que a menina mais nova, que sua filha caçula, o ocuparia primeiro.

[quer vê-la?]

Alguém se aproxima entre a multidão no aeroporto. Alguém abraça, com o queixo pesado na concavidade produzida entre o pescoço e o ombro. Alguém fala. Alguém cala. O som se infiltra por válvulas e tambores feitos de carne, de distância, de mais barulho. É impossível reconhecer as palavras que saltam das bocas entreabertas. Distorcer é um verbo sem controle. Os dentes assomam através de lábios que não param de se mover, mas o som que certamente acompanha essas palavras leva muito tempo para tomar forma no ar que respiramos. É claro que respiramos. É claro que ainda estamos vivos. As faces, descompostas, são dispostas diante de outras faces igualmente descompostas. Canais de televisão com problemas de interferência. Ruído branco. Alguém cala, entorpecida. Alguém se recusa a fazer perguntas com medo de ouvir as respostas. Alguém empurra os ombros para a frente, encurva as costas e toca os cotovelos com as mãos opostas. Alguém obedece: vamos por aqui. Alguém olha para o chão, o mármore gasto do chão, e obedece. Vamos sair daqui. Alguém vê a noite pela janela. É preciso pegar a avenida

Constituyentes para deixar a Cidade do México em direção a Toluca. Em breve, a cidade ficará para trás e começarão a aparecer os raros vilarejos nas montanhas. Um pouco mais tarde, aparecerão os pinheiros e os *oyameles*. E já estaremos, como num passe de mágica, nas terras altas. Huixquilucan. La Marquesa. O Instituto Nacional de Pesquisa Nuclear. San Mateo Atenco. O Paseo Tollocan. Quantas vezes percorremos essa estrada margeada por postes de iluminação pública e sinais de trânsito? Os galhos dos salgueiros tocam a beira da estrada com cautela. Os salgueiros-chorões, você se lembra? Os salgueiros de que você gostava tanto. Acima: as nuvens bagunçadas dentro da noite. A promessa da chuva que é a promessa do verão.

Há um escritório. Alguém abre a porta de um escritório. Uma porta de um metal carcomido. Um metal que certa vez pode ter tido a cor do ouro. Atrás dessa porta há um quarto escuro, com tetos muito baixos, que logo se transforma em muitos outros quartos. O espaço exala um cheiro de mofo, de instrumentos sólidos e inúteis, de tempo contido. Em seguida, vem o cheiro. Algo desconhecido, algo ainda sem nome, procura o nariz e, de repente, sem pedir licença ou dar explicação, sobe pelas narinas, alcançando com grande ímpeto, quase com presteza, a mucosa olfativa para, dali, partir e se prolongar por micro-orifícios até chegar ao bulbo olfatório na parte anterior do cérebro. Quanto tempo leva todo esse processo? O sistema límbico. O hipotálamo. O córtex cerebral, temporal e frontal. O que chamamos de consciência. O que chamamos de: dar-se conta. Uma agulha química atravessa o cérebro, o sistema nervoso, o giro emocional. Tudo está em alerta. Quer vê-la?

Alguém me pergunta isso.

Pergunta: quer vê-la?

[terça-feira, 17 de julho de 1990, *La Prensa*]

Tomás Rojas Madrid soube imediatamente que esta notícia apareceria nas primeiras páginas de seu jornal. Fazia muito tempo que trabalhava para a seção sensacionalista do *La Prensa* e era preciso muito para comovê-lo ou escandalizá-lo, mas ver aquela moça ali, apenas ela e sua alma naquele colchão no piso, fez seu coração se encolher. Não era todo dia que estudantes universitárias eram assassinadas nos bairros da Cidade do México. Chegara cedo à cena do crime e, com calma, sempre atento, foi aos poucos reunindo o material de que precisaria para escrever a notícia. Ele o fez metodicamente, sem poupar detalhes. Havia calculado o tempo tão bem que até teve oportunidade de comer uma fatia de bolo e tomar dois refrescos antes de decidir o título. Era um crime atroz, isso era verdade, mas nada claro. Se havia sido um crime passional, por que tudo estava em ordem dentro do cômodo? Se ele tinha invadido a casa da moça com a ajuda desleal de algum vizinho, como é que ninguém ouvira nada dentro de um prédio de dimensões modestas, onde as paredes compartilhadas se prestavam a que se ouvisse tudo? Se ela havia sido atacada, por que estava vestida no leito de morte? Obscuro crime, isso sim. O adjetivo antes do substantivo. O editor do jornal decidiu dar manchete à palavra terremoto, porque as Filipinas haviam sido vítimas de um no dia anterior, e a imagem da capa ao rosto de um criminoso de passado dândi. Mas, conhecendo o estado de espírito de seus leitores, deixou a notícia no canto inferior direito em letras azul-claras, que contrastavam com a cor preta do suéter do homem, em que anunciava o tema de suas páginas centrais: Estudante estrangulada.

OBSCURO CRIME

UMA JOVEM ESTUDANTE FOI ENCONTRADA ESTRANGULADA EM SEU APARTAMENTO

Jovem estudante de Arquitetura foi encontrada assassinada por estrangulamento dentro do pequeno apartamento que alugava ao norte da cidade, e a polícia está procurando o assassino entre alguns de seus amigos.

Liliana Rivera Garza, de 20 anos, estava dentro de um quarto de sua casa na rua Mimosas, na colônia Pasteros, perímetro da demarcação Azcapotzalco.

O crime foi descoberto por volta das 8:00 da manhã pelos vizinhos, que ficaram surpresos ao não vê-la sair pouco antes dessa hora, como sempre fazia. Eles notaram que a porta principal de acesso ao apartamento estava fechada, mas uma das janelas havia sido quebrada com um golpe.

José Manuel Álvarez, dono do imóvel e que mora no andar de cima, chamou insistentemente a jovem sem receber resposta, por isso decidiu na mesma hora chamar a polícia. Em poucos minutos as autoridades entraram no apartamento e encontraram morta a jovem, que vivia sozinha e trabalhava para sustentar seus estudos, de acordo com seus amigos e vizinhos.

Liliana Rivera foi objeto de estrangulamento e é bem possível que também tenha sido agredida, disse o médico-legista da demarcação. Detetives da Promotoria de Homicídios da delegação regional da Procuradoria em Azcapotzalco investigam o local dos acontecimentos e têm informações sigilosas sobre a existência de vestígios de violência no interior do aposento.

Apesar de tudo isso, a polícia informou que o crime ocorreu na madrugada, como evidenciado pelo cadáver da jovem estudante.

O que os vizinhos não explicam é por que não ouviram quando o vidro foi quebrado nem os gritos – se é que houve – da jovem assassinada.

Posteriormente, o delegado do Ministério Público chegou ao local dos acontecimentos e pediu aos peritos que rastreassem com minúcia as pistas dentro do cômodo, para determinar se a jovem foi ou não objeto de um ataque.

Liliana Rivera era bem-vista pelos vizinhos, que afirmam que ela tinha um ótimo comportamento e recebia poucos amigos.

A suspeita sobre o crime reside principalmente sobre seus amigos; talvez um namorado rejeitado tenha vindo até ela para conversar e aproveitou o momento para matá-la, disse um dos detetives que foi à rua Mimosas, 658.

O crime dessa jovem estudante suscitou vários comentários, porque é uma zona de Azcapotzalco bastante tranquila e cuja vigilância policial é frequente, mas com esse tipo de eventos o medo dos cidadãos aumenta.

Do crime se fez uma abertura de processo 40/913/990-07, informaram as autoridades.

[existe milho bom na inglaterra]

Fernando se aproximou de Norma bem devagar, mordendo o lábio. Venha, preciso te falar uma coisa, disse ele, passando o braço pelos ombros dela. O tempo se revolveu em suas veias. As árvores do campus mudaram de cor. Ela voltou a olhá-lo como se não soubesse quem era aquele jovem alto de olhos pretos e cabelos escuros que estava tão perto dela. Não pode ser, disse. Liliana não pode ter morrido assim. Liliana não pode ter morrido, ela se corrigiu. Imediatamente começou a esquadrinhar sua própria memória. Havia algum sinal que anunciasse a tragédia que a ela passara despercebida? A primeira coisa que irrompeu diante de seus olhos foi a ternura de Liliana, as várias maneiras com que ela a protegera ao longo do tempo. Desde aquela vez que deu a ela a frase de Camus até as muitas vezes em que a fizera rir com suas tiradas. As pessoas costumavam achar que Liliana era grosseira porque era direta e, quando chegava a hora, não guardava a opinião para si. Mas com ela, com aquela garota da escola de freiras que uma vez leu *Seleções*, ela tinha sido doce. Sim, essa era a palavra. Liliana sempre foi doce com ela, como se a tivesse convertido em sua própria irmã caçula. Ainda dentro do abraço, sem tirar o rosto do rosto daquele menino que, de repente, tornava a reconhecer, disse: não pode ser, Fernando. Simplesmente não pode ser. E começou a chorar. Ficou assim por pouco mais de uma hora. Incrédula. Tremendo.

Aos poucos, à medida que recuperava o fôlego, lembrou-se de que, embora Liliana nunca tenha mencionado nenhum problema de violência ou de assédio diretamente, chegou a insinuar que existia esse sujeito, esse sujeito do passado dela, alguém com quem tivera uma história, que insistia muito em voltar. Alguém ficara tão obcecado por ela a ponto de dizer que, se não fosse dele, não seria de ninguém? Era esse o caso? Muitas canções da moda falavam da mesma coisa; todas aquelas músicas de que Liliana não gostava. Lembrou-se de que, certa ocasião, ouviu Ana dizer a Liliana que ela deveria deixar Ángel. Mas, por mais que quisesse mergulhar nessas memórias, o que emergiu da memória não foram revelações, e sim imagens de Liliana ao seu lado, conversando, rindo, olhando para as árvores, brincando. Sua amiga, sua protetora.

Não demorou muito para que seus colegas começassem a se organizar para ir a Toluca. Eles sabiam que o funeral e o sepultamento aconteceriam ali, nas terras altas, e ninguém duvidava de que fosse necessário ir. A universidade autorizou o uso de um ônibus oficial e um professor muito próximo ao grupo, o arquiteto Gabriel Jiménez, foi com eles. O silêncio das viagens funerárias. As janelas às vezes se transformam em túneis do tempo. Norma ergueu os joelhos contra o encosto à sua frente e se abraçou a si mesma sob a jaqueta. Do outro lado do vidro, Liliana se erguia com seus óculos minúsculos, o cabelo solto, seus tênis Puma. Como é que você e eu, sendo tão diferentes, nos damos tão bem?, perguntara ela da última vez que se encontraram na universidade. Liliana tomava um café expresso e, mais do que sentada, parecia se esparramar no assento do refeitório. Tenho que entregar um trabalho, disse Norma, apressada. Já vou. Mas Liliana insistiu que ela ficasse. Deixe que entreguem para você, disse ela. Você não vai se divertir mais com eles. E Norma ficou ali fumando e conversando. Ei, depois de tudo isso a gente vai fazer um mestrado, né?, dissera ela a Liliana, lembrando-se de coisas que haviam conversado antes. Depois disso vamos para a Inglaterra, ela respondeu convencida, erguendo o copo de plástico. Ficaram em silêncio por um tempo. Vamos para a Inglaterra fazer o mestrado, negociou depois, sorrindo para ela. E ela, agora, ali, no assento desconfortável de um ônibus que os levava até os pés de um vulcão extinto, sorriu por sua vez. Como ela a convencia fácil. De que coisa Liliana se valia para sempre conseguir o que queria? O verde abundante da estrada de verão lembrou-lhe que Liliana amava a natureza, o cheiro do campo. Lá tem milho bom, dissera ela uma vez em tom de brincadeira. Existe milho bom na Inglaterra.

[quarta-feira, 18 de julho de 1990, *La Prensa*]

BOAS PISTAS PARA PEGAR OS ASSASSINOS DA ESTUDANTE

Liliana Rivera Garza foi vista com vida pela última vez por volta das 22:00 horas de domingo; foi encontrada morta por estrangulamento na manhã de segunda-feira e, após investigações preliminares, a polícia indica que há boas pistas para conseguir pegar os assassinos.

A jovem estudante do oitavo semestre de Arquitetura esteve com alguns amigos no domingo e, à noite, eles foram embora para deixá-la descansar.

O encarregado da investigação, o subdiretor de Homicídios da Polícia Judiciária, Gonzalo Balderas, foi ao local do crime para inspecionar o quarto onde a jovem foi vitimada, juntamente com uma dúzia de detetives.

Há fortes suspeitas de um ex-namorado, que por ódio decidiu eliminá-la e cumpriu a promessa na noite de domingo, porém essa hipótese terá de ser provada, disse a polícia.

Peritos da Procuradoria de Justiça do Distrito Federal emitiriam um parecer até o meio-dia, no qual se saberia se a infeliz mulher foi objeto de ataque e se foi estrangulada ou asfixiada.

É extremamente estranho para os detetives que os vizinhos da estudante não tenham ouvido gritos ou barulho nas primeiras horas da madrugada.

Outro detalhe que não passa despercebido à polícia é o vidro quebrado na porta do apartamento da estudante.

[procurar desesperadamente por um canto]

Há muita gente. Há tanta gente. Os rostos se multiplicam sem parar. As pálpebras caídas, os braços que são lançados para o alto, as mãos que tentam tocar. É possível se livrar do assédio? É possível desaparecer de uma vez por todas? Alguém procura por um canto. Alguém procura desesperadamente por um canto. Um ângulo saliente, a aresta de todos os objetos. Um canto. Se houvesse, de repente, a falta absoluta de fôlego. Alguém pergunta sobre documentos, arquivos, sistemas de registro familiar. Alguém pede assinaturas e põe à sua frente formatos desbotados sobre pequenas placas de madeira. Alguém menciona a palavra dinheiro. O dinheiro é necessário. Aqui tem dinheiro. Precisamos de dinheiro. Alguém quer saber um número de telefone, o nome de uma companhia aérea, o nome de um voo internacional. É preciso fazer ligações. As chamadas devem ser atendidas. Deve-se prestar atenção ao que acontece diante de seus olhos. É preciso fazer como se. Como se você soubesse onde tudo isso está acontecendo, o que está acontecendo, o que está por vir. Ao longe, do outro lado das janelas, se divisa o céu cheio de nuvens. Cirrocumulus. Cumulonimbus. E, ali perto, com uma aproximação cansativa, com aquele lento rodar dos pneus velhos, com uma perambulação que parece não ter fim, o rabecão preto, o ônibus, os automóveis. Alguém procura por um canto. Alguém procura desesperadamente por um canto.

São jovens. São incrivelmente jovens. São tão jovens que continuam a rejuvenescer ao longo dos anos. Essa é sua virtude e essa é sua tragédia. Manchas de sol, pele seca, lábios rachados, tudo isso que é sinal de idade, sinal absoluto de estar vivo, se esconde sob o ataque de um tempo que corre na direção oposta. O futuro, que já havia começado, começa de novo. *Forward. Rewind. Forward.* Eles ainda não sabem o que os espera, o que os espera ali, do outro lado do funeral, quando a companhia e o matraquear incessante de histórias e abraços acabarem. Quando os sussurros pararem. E as lágrimas. O que acontecerá conosco quando esse círculo de memória que tecemos no canto de um quarto rodeado de janelas se desfizer? Alguém os vê. O que acontecerá quando essa membrana finíssima, essa mucosa de palavras e fricção, se desfizer na intempérie, sob a luz indiferente do sol, diante da imensidão do vento? Alguém os ouve. O que vai acontecer quando for preciso sair dessa cápsula de espelhos e voltar para o outro quarto em cujo centro brilha, sozinho, o caixão que a contém, o caixão que a cerceia? Alguém os cheira. A distância em que ocorre a ação dos sentidos, a distância que esses sentidos inauguram com seu próprio fazer, é a única coisa que cabe na memória. O resto são sobras. Farpas. Um pedaço de boca. Uma mão. As pontas aneladas de um cabelo. As marcas de acne. O dorso úmido da língua. Um dente lascado. A pálpebra, que se fecha. Alguém diz: ela foi amada. Alguém diz: a melhor arquiteta do México. Alguém diz: às vezes mastigávamos flores minúsculas. Alguém diz: isso é uma injustiça. Alguém diz: vou sentir falta dela. E muitos ficam em silêncio.

O resto é esse espaço vazio que vigia, de seus cinco mil metros de altura, o cume de um vulcão já extinto.

[manifesto]

E NÃO QUERÍAMOS IR EMBORA.
O féretro cinza havia baixado, um ruído anunciava o fundo do último repouso daquela sepultura.

Em meio a esse silêncio, as pedras gritaram e se confundiram com os soluços dos amigos que a acompanharam até o último vestígio desta vida.

O suor dos coveiros gotejava na tampa de aço. Em seu malabarismo, eles dispuseram uma lajota e depois outra. Elas batiam umas contra as outras, produzindo um timbre de pedra que se destacava no silêncio. Só aqueles três homens trabalhavam aceleradamente, eram os únicos que tinham pressa, os únicos que queriam terminar o trabalho.

Uma multidão de olhos que a viram agir, que a viram amar, cercava aquela cova. Seus olhares se encontravam, perdendo-se no horizonte. Outros contemplavam naquele silêncio a escuridão do fosso, os demais nem conseguiam olhar. Suas pupilas estavam encharcadas com a sensação da perda.

Uma oração fúnebre novamente fez os olhos das pessoas transbordarem. As palavras eram como um chicote que dilacerava os corações e fazia explodir os canais lacrimais.

Alguns minutos haviam passado, porém o tempo foi eterno. Só se ouviam soluços, suspiros e o assobio do vento que vinha se precipitando para dizer adeus pela última vez a essa bela criatura. Éramos espectadores do silêncio.

A mãe terra que havia sido ultrajada para receber e abrigar os restos mortais daquela menininha se fechara para sempre, cobrara seu tributo e, com isso, sua história ficara selada.

A terra com seu corpo já havia escondido o último vestígio de seu traço. Estávamos para sempre separados de sua presença. Seu espírito estava lá e confortava todos os presentes. Ela nos saudava e sorria para nós como sempre, e não podíamos aceitar.

Nesse pedaço de terra foi colocada uma tapeçaria feita com flores coloridas, que simbolizava o amor que ela nos deu. Também tomadas pela tristeza, elas logo começaram a murchar. Foi preciso confortá-las com a improvisação de uma chuva artificial produzida por uma garrafa d'água para acalmar suas angústias.

Em seguida, seus amigos falaram com ela, deram-se as mãos para formar um círculo de energia, para lhe dizer que estava presente, para fazer uma oração. A comunicação entre todos era evidente, o silêncio da dor fazia uma presença patética, e se mantinha em cada um dos corações pressionados por uma taquicardia que retumbava naquele céu amplo e cheio de luz.

E NÃO QUERÍAMOS IR EMBORA.

Supostamente e por costume, aquela despedida havia chegado ao fim, era como a bênção que marca o fim da cerimônia, porém.

Todos os que ali assistiam permaneceram de pé, firmes, ninguém queria dar um passo à frente. Tudo estava em silêncio, não havia pressa. Era um pranto silencioso que marcava o fim.

E NÃO QUERÍAMOS IR EMBORA.

Cristina, sua irmã mais velha, com um nó na garganta, agradeceu pela companhia. Não sabíamos o que fazer.

E NÃO QUERÍAMOS IR EMBORA.

As flores também soluçavam de tristeza, porém elas sabiam: tinham um privilégio, seriam seu abrigo. Estariam sempre, sempre com ela. Elas a acompanhariam até a eternidade naquele pedaço de terra.

Dos presentes, um a um se despediu de Cristina. Não sabiam o que dizer. Balbuciavam poucas palavras em seu ouvido naquele abraço reconfortante. Era a única coisa que podíamos fazer.

Cristina não pôde ficar sozinha naquele espaço; o sol, o vento, as flores a acompanhavam naquele momento, assim como o espírito de Liliana, com quem conversou e, como sempre, fizeram planos.

A memória indelével permanecerá latente em nosso coração. Partiu uma criatura do Senhor, que nos deu a oportunidade de ter convivido com uma pessoa extraordinária que tanto nos ensinou, que nos despertou inquietações e nos ensinou o amor ao próximo, mostrando-nos também a maneira de iluminar o percurso da vida.

Descanse em paz. Enquanto isso, sabemos, seu espírito estará conosco no dinamismo da chama de uma vela. Até que nos encontremos.

Dedico estas linhas aos pais dessa linda criatura, que a educaram com paciência, amor e sabedoria, aos seus irmãos, aos seus entes queridos e a todos os seus amigos que tanto a amaram.

IN MEMORIAM
GABRIEL JIMÉNEZ
18 de julho de 1990
com cópia para: O resto do mundo.

[quinta-feira, 19 de julho de 1990, *La Prensa*]

Um dia depois do enterro de Liliana, o jornalista Tomás Rojas Madrid, que acompanhou o caso mesmo quando já havia sido enviado para as páginas internas do jornal, garantiu que tinham oficialmente identificado o assassino. A polícia, que ainda não havia divulgado sua identidade, estava otimista. Eles logo o encontrariam.

IDENTIFICADO O ASSASSINO DA
ESTUDANTE LILIANA RIVERA GARZA

Um grupo de detetives fortemente armados persegue o assassino da estudante Liliana Rivera Garza; diz-se que o homicida estaria escondido num estado próximo à capital do país.

Na sequência das investigações dos elementos da Brigada de Homicídios da Polícia Judiciária Distrital, foi apurada a identidade do responsável pela morte da jovem estudante de Arquitetura.

A polícia não quis revelar a identidade do assassino, por motivos óbvios, pois isso é dar vantagem a esse indivíduo, disse um dos investigadores.

Quanto a Liliana Rivera Garza, divulgou-se ontem que ela não morava sozinha como as autoridades inicialmente anunciaram, mas que seus pais estão viajando pela Europa e até o momento não chegaram a esta capital.

Com o passar dos dias e após as investigações, também foi indicado que o ou os assassinos sabiam bem em que terreno se encontravam quando planejaram a morte da jovem.

Conheciam bem os movimentos da casa e dos próprios vizinhos de Liliana, por isso foi fácil surpreendê-la na noite de domingo.

Se ela não gritou por socorro, foi provavelmente porque a ameaçaram com uma arma ou porque os assassinos eram conhecidos dela, disse a polícia.

A prisão do ou dos responsáveis pelo crime é questão de horas, comentou-se ontem nos corredores da Polícia Judiciária.

[o machado; os joelhos]

A crueldade das crianças é lendária. Quando o carro dos pais se aproxima lentamente da casa, os meninos de rua saem para encontrá-lo. Isso não está no roteiro. Isso não faz parte do plano cuidadosamente traçado pelos familiares que ainda cuidam das tarefas domésticas e das tramas administrativas. Tudo está pronto. Tudo está preparado para recebê-los e para evitar, também, um infarto, um colapso nervoso, um derrame. Quando alguém informa que já estão perto, que o carro enfim dobrou a última esquina, as tias e primos e vizinhos abandonam suas tarefas e saem de casa devagar, em silêncio, atravessam a rua, abrem a porta da casa vizinha e, aos poucos, vão ocupando todos os lugares disponíveis na sala: cadeiras, poltronas, bancos, braços do sofá. Os pais voltam de uma longa viagem: do Mar do Norte à Cidade do México. O oceano Atlântico. A Sierra Madre Oriental. Trata-se da viagem que coroa uma vida inteira de esforços, uma vida inteira de sacrifícios. Devem estar cansados, mas felizes. Devem estar exaustos. Mas altivos. Em breve, essa vida de esforço e sacrifício será destruída para sempre. De um momento para o outro, eles cruzarão um limiar que os depositará numa região desconhecida. Tudo vai doer. A voz. A lembrança. A circulação sanguínea. As unhas. O fígado. O pescoço. Eles não serão capazes de fazer nada sem se machucar. Os dentes. A faringe. As meninges. Em breve, eles se juntarão a nós neste outro mundo de areia movediça em que já estamos com os pés e nos afundamos aos poucos.

Alguém espia sua chegada pela janela. Alguém não pode fazer nada quando as crianças do quarteirão vão na frente, atirando-se contra o veículo ainda em movimento, para gritar a plenos pulmões, com um alvoroço horrível, ela está morta, Liliana está morta, quando abrem as portas do carro. O rosto deles fica incrédulo primeiro, depois irritado. De onde vieram tantas crianças? O que todos eles estão fazendo como moscas em volta do carro? Mas quando a porta da casa se abre e eles me veem, e eu os vejo me ver, sei que tudo é impossível. Eu preciso lhes dizer o que não posso dizer. Diga-me que não é verdade, dizem os olhos. Mas o que a boca consegue dizer é: O que você está fazendo aqui? Você não deveria estar aqui. Alguém diz: Liliana não está mais conosco. O machado; os joelhos. A gravidade. O peso do corpo.

O grito vem de seu estômago e de sua laringe e de seu palato. O grito sobrevoa as estantes, a mesa da sala de jantar, o fogão. O grito abre a porta da casa, atravessa a rua e, logo, atrai a presença de irmãs e tios e primas e vizinhos. O grito nos une. Ainda estamos juntos nesse grito.

[sábado, 21 de julho de 1990, *La Prensa*]

CERCADO O ASSASSINO DA ESTUDANTE DE ARQUITETURA

Elementos da Polícia Judiciária do Distrito Federal fizeram um cerco ao redor do assassino da jovem estudante de Arquitetura; o criminoso já está totalmente identificado e de um momento para o outro deve ser preso, foi anunciado ontem.

Os fatos não são investigados apenas pela delegacia regional, mas também por detetives da brigada de Azcapotzalco, que se queixam do excesso de trabalho. Os detetives da Delegacia e Promotoria Especial de Homicídios estão tentando a todo custo evitar as perguntas da mídia sobre o caso.

Liliana Rivera, 20 anos, foi encontrada morta dentro de sua casa na zona norte desta capital na manhã da última segunda-feira.

A jovem foi estrangulada e o crime ainda contém muitos pontos obscuros, que as autoridades policiais encarregadas da investigação não esclareceram.

Há uma testemunha

Foi possível saber que existe uma testemunha que pode orientar na captura do assassino, mas a polícia tem se mantido hermética a esse respeito.

Um dos amigos da jovem falecida disse à polícia que a deixou no apartamento na noite de domingo por volta das 22:00 horas.

Na manhã seguinte, Liliana foi encontrada sem vida pelos vizinhos, que ficaram surpresos porque ela não saía e chamaram a polícia, que entrou no apartamento e comprovou que ela havia morrido.

O acontecimento causou comoção entre os vizinhos, pois, de acordo com o que disseram, a rua em que moram é bastante tranquila e às vezes circulam por ela mendigos e drogados, mas eles não mexem com ninguém, segundo disseram.

A polícia começou a investigar entre eles, mas, dos delinquentes detidos, nenhum revelou ser o assassino.

[algo ainda sem forma]

Deve-se esperar que todos desapareçam para fazer isso. Alguém lhe pergunta enquanto abre a porta de um quarto e, imóvel, com a mão ainda na maçaneta, observa tudo com atenção meticulosa: agora quem sou eu? A resposta não vem. A resposta não existe. Você tem que se aproximar da cama e ficar sentada ali por muito tempo. Tem que tocar na colcha, no travesseiro, nas bonecas. Você tem que se levantar e tocar nas roupas, nos livros, cadernos. É preciso passar as mãos pelos pôsteres que decoram a parede: Marilyn Monroe, Che Guevara, a Golden Gate. Depois, é preciso parar no centro do quarto para permitir que o zumbido das paredes furtivas entre em seus ouvidos e, em seguida, saia de imediato por eles outra vez. A conexão mínima entre todas as coisas do mundo: ondas longitudinais e transversais de som, ondas eletromagnéticas que desafiam o vácuo, ondas beta, ondas alfa, ondas teta. É preciso ser uma estátua de marfim, um, dois e três assim.[25] É preciso ausentar-se de si mesmo.

---

[25] Alusão à cantiga de roda mexicana Las estatuas de marfil: "*A las estatuas de marfil / Uno, dos y tres así / El que se mueva baila el twist / Con su hermana la lombriz / Que le apesta el calcetín / Yo mejor me quedo así*". (N. T.)

E, quando o machado chega – seguro, orgulhoso, direto – para quebrar seus joelhos, para rachar o mar congelado que, de repente, é a única coisa que existe lá dentro, você tem que cair. É preciso aprender a cair. Todo o peso do corpo. A solidez do chão.

Tudo é verdade. Tudo está acontecendo. Tudo é real.

Chorar é um ato civilizado. Mas o que acontece lá, naquele quarto onde o passado nunca será passado, está mais além, ou mais perto, da civilização. Um grito é um som agudo e estridente emitido de maneira enérgica ou violenta. Um alarido geralmente expressa dor ou medo. Mas essa coisa que se espalha só naquela sala, aquilo que ninguém ouve e que rasga, ao mesmo tempo, o ar em dois, ou em muitos pedaços, é algo que vem de um mundo desconhecido e se comunica, da mesma forma, com mundos ainda por nascer. Seja o que for, aparece sem nome. Não ter nome, não ter forma, não ter limites é sua função. E assim, pisa em seus calcanhares e respira perto de seu pescoço. É preciso agarrar o abdômen e ficar enrodilhado no chão. É preciso esconder o rosto. É preciso implorar.

Acima de tudo, sim, é preciso implorar.

[terça-feira, 24 de julho de 1990, *La Prensa*]

A notícia voltou à primeira página do jornal apenas uma semana depois de sua primeira aparição. Dessa vez, a notícia que anunciava o conteúdo das páginas centrais estava dentro de um box amarelo com bordas pretas, ao lado do rosto feroz de Irma Serrano. Seus lábios vermelhos, seus olhos claros e aquela pinta preta redonda entre as sobrancelhas. Depois de se recusar a fornecer informações sobre o assassino, a polícia decidiu não apenas divulgar seu nome à mídia, mas também sua fotografia. O otimismo com que haviam assegurado dias antes que sua captura era questão de horas já havia desaparecido.

ESTRANGULADOR IDENTIFICADO

Ángel González Ramos foi identificado como o suposto responsável pelo assassinato da jovem estudante Liliana Rivera Garza. De acordo com investigações policiais, a estudante foi morta pelo ex-namorado, e por esse motivo ele é avidamente procurado em todo o país.

De forma contundente, a polícia revelou ontem que a estudante Liliana Rivera foi morta pelo ex-namorado, que fugiu imediatamente.

O assassino foi identificado como Ángel González Ramos, sujeito que está sendo procurado por todas as corporações policiais do país.

O Chefe da Brigada de Homicídios da Polícia Judiciária, Gonzalo Balderas, disse que existem evidências contundentes que apontam para Ángel como o responsável pelo crime.

Para corroborar essa hipótese, a partir da segunda-feira, dia 16, dia da descoberta dos acontecimentos, Ángel González Ramos desapareceu de sua casa.

"Ele era um sujeito com antecedentes não muito bons", disse a polícia, cujas apreciações sobre o caso são no sentido de que Ángel entrou na casa da jovem estudante, conversou com ela e a surpreendeu para matá-la.

Naquela segunda-feira, Liliana Rivera Garza, de 20 anos, foi encontrada morta dentro de sua casa, na rua Mimosas, 658, na colônia Pasteros.

Detetives, um médico forense e o delegado do Ministério Público deduziram que havia possibilidade de ela ter sido agredida.

Não havia desordem dentro do quarto, então a partir desse mesmo dia os investigadores descartaram a hipótese de assalto.

Enquanto do lado de fora da casa dezenas de pessoas observavam o movimento de policiais uniformizados, de funcionários do Ministério Público e do serviço forense, lá dentro o delegado Gonzalo Balderas e seus detetives examinavam a cena do crime milímetro por milímetro.

Um vidro estava quebrado, mas se descartou que isso tivesse sido obra do criminoso porque ninguém ouviu barulhos da destruição.

Ao certificar a cena dos fatos, o agente do Ministério Público abriu o processo 40/913/990-07 contra o responsável e em agravo da estudante Liliana Rivera Garza.

Ignacio Perales, um dos comandantes que investigou o crime, pediu a seus detetives que fossem à casa do ex-namorado, conhecido como Ángel González, mas ele não estava mais no local.

Estranhamente, Ángel González não voltou para casa desde aquele dia, e os detetives o apontam como o autor do crime brutal.

Tal afirmação não se baseia numa simples hipótese, disse Gonzalo Balderas. Há uma testemunha que viu Ángel, um dos supostos assassinos mais procurados do país, entrar no apartamento de Liliana.

[se você vai se quebrar, quebre-se tentando sair, e não entrar]

O que aconteceu naquela manhã na rua Mimosas, 658, depois que Ángel entrou, sub-repticiamente, sem ser esperado, sem que a porta se abrisse para ele e só depois de ter oferecido três mil pesos a um drogado, ao espaço pessoal de Liliana? Ninguém pode dizer com certeza. É tudo conjectura a partir desse ponto. Isso é algo que só o assassino sabe e que decidiu guardar para si desde o verão de 1990, quando empreendeu sua fuga. Somente o cumprimento integral da justiça, cujo sistema expediu um mandado de prisão contra Ángel González Ramos em 29 de novembro de 1990 "pelo crime de homicídio, previsto no artigo 302 e punível com pena de prisão no artigo 307 do Código Penal", poderá levantar o véu desse crime tenebroso.

As perguntas que o jornalista Tomás Rojas fez repetidas vezes em seus artigos para o *La Prensa* são tão válidas agora como na época: num crime tão brutal, como é possível que ninguém tenha ouvido nada? Caso seja possível levar em conta o que as testemunhas contaram, tanto Manolo quanto Gerardo ouviram que a empregada doméstica, de cujo nome eles não se lembram, disse ter escutado alguns soluços, um pranto baixinho, sem estabelecer uma hora precisa do acontecimento. Quem chorou e por quê? Há também o barulho que um cabo de vassoura pode fazer quando, à noite, com pouca luz, tenta alcançar o trinco de uma porta de metal. E o pouso dos pés no concreto depois de pular a cerca. Talvez fossem ruídos pequenos e breves que poderiam muito bem ser amplificados, no entanto, no silêncio da madrugada.

Numa opinião em que se vislumbra o futuro, a nota da quarta-feira, 18 de julho, dia do sepultamento de Liliana, descrevia as ações do assassino como guiadas pelo ódio. Ángel procurava Liliana naquela madrugada de verão com o plano concreto e definitivo de matá-la, de acabar com sua vida para sempre e assim cumprir o mandato da masculinidade? Ou Ángel agia com a ideia feroz, mas ainda ambígua, de fazê-la partícipe da pedagogia da crueldade, dando-lhe um castigo exemplar que a deixaria viva, mas marcada para sempre com seu selo de posse? O silêncio que não despertou as pessoas que dormiam apontaria para a confirmação da primeira alternativa; o fato de ter pedido ajuda aos vizinhos da noite, revelando sua identidade, para a segunda. O resultado, de qualquer forma, é o mesmo. Ángel exerceu uma horrível violência letal sobre o corpo de minha irmã guiado, como observou o jornalista Rojas, pelo ódio. O ódio de gênero. O ódio contra a independência e a liberdade das mulheres. O ódio contra Liliana, a universitária que sempre esteve do lado do amor.

As respostas são poucas e os fatos, incontestáveis: há trinta anos, sinto falta de Liliana todos os dias e, dentro de cada dia, todas as horas de cada dia. E dentro de cada hora, cada minuto. Cada segundo. O luto para aqueles que perderam entes queridos, mulheres queridas, devido a atos de terrorismo de parceiro é uma coisa tortuosa. Como Snyder bem analisou em *Sem hematomas visíveis*, os sobreviventes costumam culpar a si mesmos, à sua negligência ou cegueira, com uma dureza sem precedentes. Eles não protegeram os que mais amavam; não perceberam o que deveria estar claro diante de seus olhos; não detiveram o predador. A dor que não se afasta, nem um milímetro, da culpa ou da vergonha, fica estagnada antes de chegar ao luto propriamente, permanecendo num limbo informe onde as palavras perdem o sentido e a conexão com os outros e com o mundo se esvai pouco a pouco. As famílias fogem para dentro, escondendo-se até de si mesmas. Com que direito podem exigir justiça do Estado, quando não foram capazes, elas próprias, de proteger os seus, a sua, do perigo?

O sistema encarregado de culpar a vítima, aliás, começa a funcionar quando as coisas ainda estão frescas e não se detém de forma alguma com o passar dos anos. É um maquinário metódico e triturador. Está lá, funcionando perfeitamente, entre os que sussurram: se não a tivessem deixado ir para a Cidade do México, se ela não tivesse começado a namorar tão jovem, se tivesse sabido escolher melhor, se tivesse esperado o casamento para ter relações, se tivesse tomado uma decisão melhor, se não tivesse se equivocado. E também está aí, mais tarde, independentemente da quantidade de anos, entre aqueles que apontam que os pais passavam muito tempo fora de casa, a mãe trabalhava, o pai não lhe dava dinheiro suficiente, os namorados a assediavam, as mulheres a amavam. Está nos olhares sombrios e nos sorrisos falsos. Na comiseração. Naqueles que se sentem seguros e elaboram aquela linha moral que divide o nós do vocês. Está na exigência imperativa, inevitável e avassaladora de que a vítima seja culpada e de que você se culpe com ela. Está na exigência imperativa, inevitável e avassaladora de exonerar o assassino a todo custo.

Nós não aprendemos a ficar em silêncio; nós somos forçadas a ficar em silêncio.

Nossa boca é calada.

Por muitos anos, não soube responder à pergunta: quantos irmãos você tem? A mera possibilidade de ouvi-la me fazia tremer. E a resposta, quando eu resolvia dá-la, nada mais era do que um crescendo de loquacidade: eu tinha uma irmã, porém já não tenho mais; eu já não tinha, mas teria uma irmã para sempre; eu tive uma irmã; eu teria uma irmã. Depois do primeiro momento constrangedor, se o questionador carecesse de boas maneiras ou empatia, continuavam as perguntas: e era mais nova ou mais velha? Temendo que, depois, começasse a indagação sobre como, quando, por quê, eu optava por baixar os olhos e me afastar. Com o tempo, dei-me por vencida. Respondia que não tinha irmãos para não chorar, para não criar uma confiança que não existia, para não dar explicações, para me defender e, sobretudo, para defendê-la. Ou não respondia nada. Mudar de assunto é um ofício que se aprende com o tempo.

Foram muitos anos assim.

Em "To a Sad Daughter", Michael Ondaatje fala com sua filha de dezesseis anos. Agridoce e nostálgico, o poema aborda os tropos típicos da relação entre pais e filhos na adolescência: a divergência de caminhos, a busca de identidades próprias que afastam o adolescente de casa, a rebeldia justificada ou a resistência fútil. Liliana teria achado isso brega, acredito; mas talvez tivesse cedido um pouco ao carinho inquestionável que emana da voz lírica. Embora o pai se recuse a dar conselhos, ele tem de aceitar, pode-se dizer que a contragosto, que o poema é, à sua maneira, talvez a despeito de si mesmo, uma primeira lição. Um ótimo conselho tutelar. Deseje tudo, ele recomenda à filha, se você vai se quebrar, quebre-se tentando sair, e não entrar.

Ainda tenho a impressão de que naquele verão de 1990 Liliana estava tentando sair. Liliana já estava saindo. Depois de tantos anos de *gaslighting*,[26] depois dos anos em que Liliana aprendeu a ceder às exigências do urso para acalmá-lo, depois de anos de luta, de resistência, de negociação, de batalha, Liliana finalmente estava de saída.

Ela queria tudo e amava tudo. Exigir o impossível era sua vocação. Aquilo que aprendemos em casa, que nossos pais ensinaram a nós duas, foi posteriormente reforçado em livros e poemas, planos e edifícios, músicas, nuvens complicadas, campi universitários, viagens, tertúlias intermináveis, amigos íntimos. Quando nos quebramos, Liliana, quando a máquina patriarcal nos alcançou para esmagar nosso corpo e nosso coração, para destruir o passado e o futuro, foi, sim, tentando sair. Disso não tenho a menor dúvida. Ela já estava saindo, já estava além, acreditando, profunda, honesta, provocativamente, que outra vida era possível.

Outro amor.

Numa sacola que antes continha um presente de Natal, estreita e tricolor, Liliana guardou a carta que nunca mandou para Ana, alguns bilhetes arrancados de cadernos escolares e as cartas que eu escrevi para ela dos Estados Unidos. Em minha última carta, a de 9 de março, eu lhe contava sobre minha nova vida, sobre meus embates num sistema universitário mais interessado na produção quantitativa do que em sua responsabilidade social. No meio da carta, que era longa, também dizia a ela que tinha ido ao cinema ver *Camille Claudel*, "uma escultora da qual Rodin se alimentou durante anos e que finalmente ficou internada por três décadas numa clínica de saúde mental. Em vida, ninguém

[26] Forma de abuso psicológico que consiste em manipular informações até que a vítima passe a questionar seus sentimentos, instintos, sanidade e a própria percepção da realidade. (N. E.)

a reconheceu e seu trabalho só começou a ser valorizado nos anos de 1980. Fiquei impressionada com o filme por muitas coisas: pela vocação febril de Camille, pelo cuidado de seu pai com o que ele chamava de talentos de Camille e, obviamente, por sua destruição. Acho que muitas mulheres acreditaram que nosso fim como criadoras é a destruição como uma bomba romântica. Fiquei furiosa por aquele crime e por tantos outros que nem sequer vislumbramos e me convenci de que, quando saí do México, fugia daquelas vozes que nos provocam: aí está o vazio, não está vendo? Se jogue. Jogue-se no abismo. Porque não quero para mim nem para você, nem para ninguém, um fim desses; porque a destruição e o desencanto não são um romantismo ardente, mas um romantismo assassino. Porque estamos aqui, sim, cheias de talentos, não para alimentar o domínio vampírico dos outros, nem para cair cegas no abismo da loucura, nem para carregar uma pedra como São Jerônimo. Estamos aqui com o peso encantado da existência e da leveza, a plácida leveza do sono, porque temos muito a dizer, fazer, pensar, repensar, recriar; porque nosso ponto de vista é novo para uma história que o negou, usurpou, centenas de milhões de vezes; porque temos que dizer: Basta! Nem o dogma do amor, nem o da fama, nem o do dinheiro poderão destruir algo muito mais firme e mais inocente ao mesmo tempo: o desejo insensato, tímido, arrebatado por viver, para viver e para criar outro viver, algo mais bonito, algo mais justo. É para isso que servem a voz e a mão".

Raúl Espino Madrigal recorda que, certa vez, enquanto descansavam na grama dos jardins da UAM, Liliana lhe emprestou um livro. De suas páginas, inesperadamente, brotou um cartão-postal. Era seu, ele me disse. "Uma foto em preto e branco com alguns hippies pelados dentro de um bonde. No verso, o texto: um dia você virá aqui e vamos nos divertir muito."

O ator River Phoenix morreu em 1993 e Selena, a famosa cantora mexicano-americana, em 1995. Quando soube de suas mortes, imediatamente os imaginei juntos. Liliana, River e Selena, e os hippies nus, na encosta de uma montanha muito verde, de onde ainda é possível avistar as águas rítmicas do Pacífico. Há cães e gatos ao seu redor: Fausto está lá. A Kinski está lá. Há palavras. De vez em quando se ouve o eco distante de suas risadas. É fim de tarde, uma tarde de verão coberta por uma fina luz dourada que, aos poucos, vai cedendo espaço à escuridão. Seus sussurros ainda são ouvidos.

E eles ainda estão vivos.

X

NOSSA FILHA

[ilda garza bermea]

Liliana estava atravessada. Em vez de o bebê se acomodar de cabeça para baixo, já se preparando para o nascimento, ela se posicionou na horizontal. Na época morávamos em Monterrey, com a bolsa que o Tec[27] de Monterrey havia concedido ao seu pai. Mal tínhamos dinheiro para alugar um quartinho no bairro, então a simples ideia de que o parto exigisse cuidados especiais nos preocupava. Um médico muito gentil, ciente das nossas dificuldades como migrantes na cidade, optou por um método mais natural: com as próprias mãos pôs Lili de cabeça para baixo dentro da minha barriga e, quando finalmente conseguiu, ajeitou duas toalhas enroladas, uma de cada lado do meu abdômen. Para evitar que ela voltasse a ficar atravessada, o médico me enfaixou. Foi assim que passei os últimos meses de gravidez, com uma toalha de cada lado da barriga e toda enfaixada do torso até a parte inferior do quadril durante o calor úmido de Monterrey. Imagine isso.

[antonio rivera peña]

Perdi seu nascimento porque estava dando aula no ensino médio em Matamoros, mas pude assistir ao nascimento da Lili em Monterrey. Não me deixaram entrar na sala de parto

[27] Instituto Tecnológico e de Estudos Superiores de Monterrey. (N. T.)

e testemunhar tudo, mas fui o primeiro que constatou que as duas estavam bem, depois de todo o esforço. Poderíamos ter dado o nome de uma das avós, mas nem sua mãe nem eu sugerimos o nome de Emilia ou Petra para nossa segunda filha. Liliana foi única desde o começo – um nome que ninguém havia usado na família. Uma experiência radicalmente nova.

Sua mãe diz que escolheu o nome Liliana porque, naquela época, fazia sucesso uma música de Carlos Lico dedicada à sua terceira ou quarta filha cujo nome era, justamente, Liliana. Acho que fui eu que o escolhi, mas não sei dizer por que gostava tanto dele. Talvez tenha sido por causa da música mesmo: "*tu carita cuando duerme tiene la dulzura de los ángeles del cielo. Liliana, mi amor*".[28] Isso é o que dizia. E ainda me lembro de toda a letra.

Lili era muito apegada à sua mãe desde criança. Ao contrário de você, que sempre foi magrinha, Liliana logo se transformou num bebê rechonchudo e rosado. Mas isso não pesava para Ilda, que a carregava consigo para todos os lugares. Liliana, que chupava o dedo da mão esquerda, acomodava-se nos braços da mãe e começava a puxar seu brinco com a mão direita. Ela fez isso de forma tão consistente e por tanto tempo que acabou partindo o lóbulo da Ilda em dois.

[ilda garza bermea]

Eu não deveria ter ido espioná-la, muito menos dirigir perto do pátio do jardim de infância onde a havíamos matriculado. Mas fui e fiquei dando voltas com o carro ao redor da escolinha, passando bem devagar pelo pátio, onde achei que ela estaria. Lili me viu e começou a chorar. Eu não aguentei e entrei para

---

[28] "Sua carinha quando dorme tem a doçura dos anjos do céu. Liliana, meu amor." (N. T.)

levá-la de volta para casa. Assim terminou sua carreira como estudante do jardim de infância em Delicias, Chihuahua.

[antonio rivera peña]

Quem comeu uma melancia inteira?, costumava perguntar isso a ela e acariciava sua barriga ao mesmo tempo. Era um sinal para começarmos a rir. Um jogo entre nós dois. Eu lhe dizia: gorda. Ou: gordinha. Então, com o passar dos anos, Lili me pediu para que não lhe dissesse mais isso. Ela corava. Aquela garota alta, que já começava a nadar na equipe local, não gostava de lembrar que tinha sido uma garota gordinha.

[ilda garza bermea]

Ela sempre foi tão boa, tão nobre, digo isso sem exagero. Desde criança era assim. Tirava a comida da boca para dar a quem precisava. Nunca suportou ver a dor dos outros sem fazer algo a respeito. Não quero que você se sinta mal, mas você nunca foi assim. Lembre-se dos cadernos dela, todos tão organizados. A arrumação do seu quarto. A maneira como cuidava das suas roupas, das suas bonecas, dela mesma. Ao contrário de você, Lili sempre foi muito pontual. O que ela sofreu quando levávamos vocês duas para a escola no mesmo horário. E ainda por cima, levar você para o ensino médio primeiro, antes de deixá-la no ensino fundamental. Ideia terrível. Que injustiça. Acho que com essa experiência ela desenvolveu um estresse que acabou lhe causando dores de estômago. Uma colite infantil.

[antonio rivera peña]

Quando ela cresceu e foi capaz de se virar na cozinha, nunca se importava em me preparar um café. Para meu pai, ela me dizia, colocando cuidadosamente a xícara fumegante sobre a mesa. Nenhuma outra filha havia feito isso por mim antes. Nem fez depois.

[ilda garza bermea]

Aos poucos, fui percebendo que eles estavam namorando. Liliana não me avisou, pelo contrário, começamos a notar que ele passava para buscá-la com muita frequência. Ele vinha na sua bicicleta de corrida às vezes; em outras, chegava de carro. Levava e trazia Lili com muita frequência. Ele a levava para onde ela tinha que ir, e ia buscá-la também. Eu me sentia segura com isso. Era um bom sinal de que ele se importava com ela, que estava tão ciente das suas necessidades. Mesmo assim, ele nunca entrou na minha casa. Nunca foi seu namorado formal. Para nós, ele não era nada mais do que um pretendente muito apaixonado.

[antonio rivera peña]

Quando viajei – e como me arrependo de tantas viagens, para que serve tudo isso, no fim das contas? –, suas cartas me mantiveram vivo. Ao contrário de você, que me mandava cartas de vez em quando, Lili nunca deixou de escrever. Não importava se ela tinha exames ou estava de férias, se estava numa competição ou fazia frio. Ela me contava de tudo nessas páginas. Suas andanças. Suas perguntas. Às vezes, ela até reclamava da mãe ou de alguma amiga. Mas eram cartas felizes, cartas muito íntimas, cartas de querer estar perto. Quando fui fazer aquele doutorado fora de hora, aquela coisa que sempre busquei e que agora, tantos anos depois, me parece tão pouco, é tão pouco, suas cartas se converteram no meu melhor relógio.

[ilda garza bermea]

Mas como ele a fez sofrer no colégio. Não me lembro bem quando foi a primeira vez que eles terminaram, ou se foi a primeira vez, mas Lili chorou muito. Eu a encontrei no parque atrás da casa. Eu estava fazendo alguns exercícios quando a vi se aproximando com seus grandes passos pela rua. Ela estava muito chateada, com o rosto voltado para o asfalto, chorando. Eu instintivamente fui até ela e a abracei. Chorar não é a palavra que procuro: choramingar talvez. Seus soluços nem mesmo a deixaram dizer uma palavra e partiram meu coração. Ela não conseguia entender por que as coisas tinham de ser assim. Ela pediu meu conselho e eu, pensando que era um daqueles namoricos infantis que passariam logo, disse a ela para não ficar obcecada. Que o mundo não ia acabar por causa disso. Que outro amor logo chegaria na sua vida, talvez o amor verdadeiro.

[antonio rivera peña]

Nunca vou me arrepender o suficiente por ter partido naquela época, naqueles meses.

[ilda garza bermea]

Certa vez, precisei levar ao aeroporto uma irmã que tinha vindo nos visitar enquanto seu pai estava na Suécia. Liliana pediu esse favor a Ángel e ele, muito educado, nos ajudou com isso. Essa foi a primeira vez que ele pôs os pés na minha casa e ele parecia estranho, intimidado. Liliana estava feliz porque aquele menino, que na verdade víamos como inferior, tinha se elevado um pouco diante dos nossos olhos. Talvez seja por isso que, quando seu pai não estava aqui e Lili pedia minha permissão para ir com ele ao cinema ou dar um passeio de bicicleta, eu não negava. Então percebemos que ele ia buscá-la com frequência na universidade e a trazia para casa. Sempre tivemos muito respeito pela Cidade do México, com aquela fama de metrópole brava e apressada. E Lili era tão jovem, tão confiante. Era tranquilizador saber que ela não voltava de ônibus.

[antonio rivera peña]

Eu confrontei Ángel várias vezes. Uma das que mais me lembro tem a ver com o fato de que ele vinha vê-la em casa todo desalinhado. Liliana já estava na faculdade e para nós era um luxo tê-la em casa. Sua mãe cozinhava algo especial. Ficávamos de muito bom humor por tê-la de volta, mesmo que por algumas horas. Naquele dia, não pude evitar. Pela janela vi que ele estava ali na calçada, do lado do gramado do jardim, de bermuda de ciclista, camiseta suja, todo deselegante. Saí imediatamente e disse a ele que aquele não era o jeito de visitar uma namorada. Disse-lhe que, quando eu era jovem, punha minhas melhores roupas para ir ver Ilda. Uma camisa limpa. Os sapatos engraxados. O cabelo limpo. Eu também disse a ele que, se quisesse continuar visitando Liliana em casa, tinha de mostrar mais respeito por ela, que era sua namorada, e por nós em geral. O sujeito logo ficou furioso e eu, que também tenho o pavio curto, ia começar a gritar com ele. Liliana, que estava entre nós dois, interveio rapidamente para nos acalmar. Entrei em casa muito mal-humorado e Lili veio atrás de mim. Ela me disse que falaria com ele e que aquilo não se repetiria. Ela me garantiu que tinha tudo sob controle. E também me pediu para não me intrometer tanto assim na vida dela. Que ela sabia como lidar com essas coisas. Então me disse que me amava muito. Portanto, não prestei muita atenção ao que ela realmente estava me dizendo, mas depois tive de perceber que ela estava sendo ameaçada. Que tudo o que Liliana fazia com relação àquele indivíduo era marcado pela ameaça de nos machucar também. Eu dei muita liberdade a Liliana. Como dei a você. Sempre acreditei na liberdade, porque só em liberdade podemos saber do que somos feitos. A liberdade não é o problema. O problema são os homens.

[ilda garza bermea]

E onde está o papai? Ela me perguntava muitas vezes, assim que chegava em casa. O papai está bem? Procurava nos cômodos da casa e, se não o encontrava, olhava com preocupação. Seu pai está bem, Lili, não se preocupe. Foi comprar pão. Ou hoje ele ficou mais um pouco no campo. Ou não demora muito para chegar.

Ela respirava aliviada apenas quando o via entrar pela porta da casa.

[antonio rivera peña]

Não, não posso lhe dizer como me senti quando voltamos de viagem e descobrimos que já a tínhamos perdido. Que ela já tinha sido enterrada. Não consigo nem dizer a mim mesmo. Não me pergunte isso.

[ilda garza bermea]

Certo dia, desesperada por não termos notícia alguma da polícia, pedi à dona Benita, a mulher que me ajudava a limpar a casa, que fosse à casa daquela família. Sabíamos que o assassino havia fugido, mas eu tinha minhas suspeitas. Juntas traçamos um plano. Dona Benita lhes diria que passava roupa e que procurava trabalho com urgência porque tinha um filho doente. O estratagema era bizarro, é verdade, mas acabou dando certo. Ficou naquela casa toda uma manhã, passando roupas e olhando ao redor. Se a senhora visse aquilo, dona Ilda, me disse toda pesarosa quando voltou. É um hospício. As pessoas entram e saem gritando, uma bagunça total. Nem pude contar bem quantos eram. Alguns jovens, outros nem tanto. Muitos homens; algumas mulheres. Todos são tratados com pura grosseria. Filho da puta da sua mãe. Estúpido. Seu desgraçado. Mas aquele menino que a senhora fala, eu não o vi lá.

[ilda garza bermea]

Tentamos de tudo. Um dia, ficamos sabendo que uma ex-namorada do Ángel estava cursando Ciências da Comunicação na UAEM. E fomos até lá. Não tivemos que pensar duas vezes. Você me acompanhou, lembra? Dirigimos a toda pressa até a universidade e, uma vez lá, perguntamos quais eram as salas da faculdade que tinha aceitado Ángel como estudante apenas um ano antes. Não me lembro do nome dela, mas sua imagem persiste na minha memória: uma garota esguia e bonita, com cabelos ondulados e olhos cheios de medo. Você sabe onde ele está, gritei com ela, exigindo uma resposta. Exijo que me diga onde está aquele covarde, insisti. Será que estávamos na porta de uma sala, o olhar de todos em nós enquanto eu gritava a plenos pulmões? Talvez sim. Por favor, imploro que você me diga para onde ele foi, onde está escondido, perguntei-lhe enfim, antes de me dar por vencida. É o coração de uma mãe que está te pedindo isso.

[antonio rivera peña]

Não me pergunte, por favor. Eu não posso repeti-las. As palavras que os promotores utilizaram maculam a vida da nossa filha.

XI

CLORO

They, like us, are alive in hydrogen, in oxygen;
in carbon, in phosphorous, in iron;
in sodium and chlorine.[29]

Christina Sharpe, *In the Wake*

[29] "Eles, como nós, estão vivos em hidrogênio, em oxigênio; / em carbono e fósforo, em ferro; / em sódio e cloro." (N. T.)

Voltei a nadar quando, depois de morar no México por cinco anos, regressei a San Diego no verão de 2008. Não treinava numa piscina havia 27 anos, parei pouco antes de entrar na faculdade. Mais por falta de instalações esportivas do que por decisão própria, a natação e suas piscinas desapareceram da minha vida à medida que os livros, as discussões políticas, as práticas de campo e o ativismo entraram. As piscinas foram embora com a chegada da escrita. Quando me matriculei na ACM em San Diego, estava pensando em usar as instalações para exercícios aeróbicos, talvez alguns pesos, mas principalmente estava interessada em que tivesse uma sauna. Só mais tarde é que notei a piscina. E então levei ainda mais tempo para ir atrás das coisas: do maiô, dos óculos de natação, da touca. A primeira vez que entrei na água, nadei apenas duzentos metros, mas saí exausta. A água também parecia estranha: dura, compacta, como se eu estivesse nadando numa raia inclinada. Ficou claro que minha condição física era deplorável, mas o desgaste era tão grande, também tão inexplicável, que me concentrei mais nos exercícios de solo. Às vezes, quando tinha tempo, corria um pouco na pista. Mas, enquanto ia à academia, deixei a piscina de lado.

No outono de 2012, passei um semestre sabático na Universidade de Poitiers. Decidi tirar meu filho do colégio onde ele estudava e levei-o comigo numa viagem que começou na França e terminou com o semestre de primavera em Oaxaca. Ficamos num apartamento universitário localizado perto do colégio onde matriculei Matías e bem longe da sala que me fora atribuída na faculdade de estudos de literatura latino-americana. Em vez de ir lá todos os dias, pedir por uma coisa ou outra, optei por ficar em casa para escrever pela manhã. Minha anfitriã na universidade, Cecile Quintana, me telefonou uma tarde no final de setembro. Estava preocupada porque fazia tempo que não me via e sugeriu que nos encontrássemos na piscina onde ela praticava natação. Eu gostava de nadar?

Ela passou por meu apartamento e, depois de me fornecer um maiô velho e pegar os óculos e a touca de uma pequena máquina no mesmo local, atravessamos os vestiários e os chuveiros antes de passarmos por um estreito corredor no qual toalhas de diferentes cores pendiam de ganchos estilizados. Havia muitos nadadores àquela hora. Uma equipe de iniciantes treinava na extremidade estreita do retângulo da piscina e a outra, de nadadores mais experientes, estava no lado direito. A lógica me dizia que eles deviam colidir continuamente, mas a realidade era que nadavam de forma que os treinos seguiam sem qualquer alteração. Os visitantes tinham de nadar no lado esquerdo. Quantos metros você costuma nadar?, perguntou-me Cecile. Eu não nado há séculos. Quase sempre nado três mil, disse ela casualmente. Não se preocupe, vou esperar por você na arquibancada se sair mais cedo.

Se eu estivesse nadando sozinha, como tinha feito em San Diego, com certeza também teria desistido. Logo minha respiração se alterou e, em vez de avançar em movimentos rítmicos, meu corpo se crispou embaixo d'água, produzindo uma série de movimentos desajeitados e opacos. Houve um momento em que engoli água e pensei que, se não fizesse algo, iria me afogar. Se não fosse por Cecile nadando no ritmo, passando por mim repetidamente com total controle de si mesma, eu teria saído da água de imediato. Naquela tarde nadei apenas trezentos metros, mas, já debaixo do chuveiro, aquela distância parecia uma verdadeira façanha. Eu estava cansada e, também, estranhamente feliz. Delirante até. Uma alegria sem precedentes percorria meus músculos sem passar por minha cabeça. Quando Cecile sugeriu que eu comprasse um passe para vir com ela todas as semanas no outono, decidi que o faria. Naquela noite, quando voltei para casa, tive de pedir a Matías que me ajudasse a puxar a camiseta pela cabeça porque não conseguia levantar os braços. Rimos enquanto eu fazia algumas manobras enormes para tornar minha tarefa mais fácil.

Como prometi a Cecile, nadei todas as semanas desde então, às vezes uma vez e às vezes três. Ela passava para me pegar, conversávamos no caminho e, depois, mergulhávamos na piscina para nadar naquelas raias malucas em que ninguém, de forma milagrosa, batia em ninguém. Minha condição física melhorou rapidamente e, aos poucos, conforme voltei a prestar atenção em minhas braçadas e pernadas, percebi que nadar era algo que eu sabia fazer bem. Lembrei-me de como tinha ficado orgulhosa de meu estilo: meu braço voando, meu pescoço virando da esquerda para a direita, minha respiração rítmica e uniforme.

Deve ter sido em novembro, ou pelo menos quando o tempo lá fora já estava frio e a água quente da piscina exalava uma névoa entre espectral e escura nas últimas horas do entardecer, que saí da água subitamente. Eu estava indo para o vestiário, mas não consegui chegar lá. Sem ter decidido racionalmente, permaneci sentada nas arquibancadas de madeira, com meus óculos de proteção e a touca nas mãos.

Eu estava quieta e arrepiada, pingando água por toda parte. A respiração alterada. Fiquei olhando para os nadadores indo e vindo e, de repente, sem nenhum aviso, comecei a chorar. Não fiz nenhum som e as lágrimas foram facilmente confundidas com água, mas ainda assim cobri a boca.

Seu nome cruzou meus lábios sem me dar tempo de pensar nisso. Eu disse: Liliana. E então ouvi. Fiquei paralisada por um tempo. O cheiro de cloro, que inundava o local, de súbito entrou em minhas narinas e me preencheu por dentro. Sempre fiz isso com você, falei. E ouvi o que ela disse. Desorientada, sem saber o que fazer, mergulhei na água novamente em vez de ir para o vestiário. Toquei o chão com os pés e, com eles, impulsionei-me para a superfície. Liliana, eu disse ao sair. Liliana Rivera Garza. E repeti seu nome debaixo d'água, enchendo minha boca de bolhas, enquanto tentava tocar o fundo da piscina de novo.

Já disse várias vezes que a gente nada para ficar sozinha. Mas isso é apenas meia verdade. Às vezes é preciso ir sozinho, avançar por si mesmo, sem ninguém ao lado, para participar de uma comunhão na água. O tempo que uma substância leva para deixar o oceano para trás – para deixar a água para trás – é chamado de tempo de residência. O sódio, por exemplo, tem um tempo de residência de 260 milhões de anos.

Nas piscinas de Poitiers, consegui nadar mil metros seguidos. Depois, aproveitei todas as oportunidades para mergulhar na água. Nadei todos os dias que estivemos em Oaxaca. Caminhava por meia hora para chegar a um pequeno balneário cuja atração principal era uma piscina de quase 25 metros de comprimento e dois trampolins de uma cor laranja berrante. A água da piscina, que vinha da nascente da montanha, era quase insuportável de tão gélida. Lá eu consegui nadar dois mil metros por dia. Nadei na piscina da faculdade quando voltei para San Diego. E em cada uma das piscinas que ficavam perto dos lugares onde fui dar palestras ou oficinas de escrita. Em vez de perguntar pelos honorários, eu perguntava primeiro se havia uma piscina perto do hotel ou do auditório.

Algum tempo antes de se tornar estudante de Arquitetura, numa daquelas tardes em que o tédio e a preguiça a dominavam, Liliana queixou-se do ressecamento da pele causado pelo cloro da piscina. Ela não disse, embora também fosse verdade, que todos aqueles anos de treinamento, pelo menos três horas por dia na água, haviam danificado nossos cabelos, emprestando-lhes aquela textura áspera e aquele brilho amarelo suspeito nas pontas. Ela também não mencionou o cheiro de nossos corpos. Era tão óbvio, tão persistente, que com o tempo se tornou nosso perfume natural. Era assim que nosso ser cheirava então, a cloro. Cl na tabela periódica dos elementos. É assim que ainda cheira hoje nossa infância juntas.

Ela continua aqui, conosco. Sim, Christina Sharpe tem razão, ela, como tantos outros, permanece ao nosso lado, não como uma mera metáfora, não como o devaneio de um ou vários sofredores, mas como carbono e fósforo, como sódio e também como cloro.

Lembro-me de sua pernada poderosa. A maneira como o maiô revelava sua barriga de menina antes de ela se transformar numa adolescente esguia. A marca dos óculos no rosto. Do jeito que corríamos, voltas fantasmas já à noite, quando a piscina começava a soltar seu vapor quente. Os chinelos de borracha. Speedo. Arena. Nike. O grito que emitíamos embaixo da ducha de água fria a cujo jato violento nos submetíamos ao terminar o banho. Seu salto mortal. A vez que ela descobriu os pelos de meu púbis e me perguntou: e eu vou ter isso? A maneira como ela arqueava o corpo para deslizar apenas alguns centímetros sob a água. Como prendia a respiração. As pontas enrugadas de todos os seus dedos. A maneira como comparávamos nossos tempos depois de alguma competição. O barulho do apito. A primeira vez que a vi fazer bolinhas embaixo d'água. A risada, acima de tudo. Os lampejos do sol na superfície da água que compartilhávamos.

Nadar era o que fazíamos juntas. Íamos pelo mundo cada uma no próprio caminho, mas íamos para a piscina para ser irmãs. Esse era o espaço de nossa sororidade mais íntima.

E ainda é.

Quase um ano atrás, machuquei o ombro direito e tive que suspender minhas visitas à piscina. O músculo do manguito rotador. Uma tendinite. Em vez de nadar, comecei a escrever este livro. Se a ferida se curar, vou nadar de novo.

Quero encontrá-la na água novamente. Quero nadar, como sempre fiz, ao lado de minha irmã.

liliana

liliana
rivera
garza

LILIANA
RIVERA
GARZA

Liliana ♀
Rivera Garza
asesinada 199
JUSTICIA
STARBUCKS COFFEE
FONTÁN

Liliana
Rivera
Garza
JUSTICIA
Marisela

Notas finais

Minha irmã, Liliana Rivera Garza, construiu um arquivo meticuloso de si mesma ao longo da vida. Este livro é baseado em cadernos, notas, apontamentos, recortes, planos, cartas, fitas cassetes e agendas que foram encontrados entre seus pertences, que ninguém tocou em trinta anos. Mas aqueles documentos, que nos comunicaram com o passado, não falavam diretamente com o presente. Foram necessários a determinação e o trabalho incansável de Saúl Hernández Vargas como detetive amador para localizar os amigos mais próximos de minha irmã no mundo de hoje: Ana María de los Ángeles Ocadiz Eguía Lis, Manolo Casillas Espinal, Raúl Espino Madrigal, Othón Santos Álvarez, Gerardo Navarro, Ángel López, Fernando Pérez Vega, Norma Xavier Quintana. Meses mais tarde, depois de ler uma mensagem fúnebre num tuíte, Laura Rosales me contatou pelo mesmo meio. Os depoimentos de todos eles foram centrais nos capítulos V, VI e VII, embora também apareçam, como referências indiretas, em outros. Nestes últimos dois anos, conversei com meus pais – Antonio Rivera Peña e Ilda Garza Bermea –, e também com outros membros de minha família, principalmente com meus primos Leticia e Emilio Hernández Garza, que estiveram próximos de Liliana em distintos momentos de sua vida. A assessoria jurídica dos advogados Héctor Pérez Rivera e Karen Vélez foi significativa ao longo desta investigação. Agradeço especialmente o apoio da advogada Sayuri Herrera, titular da Promotoria Especializada em Feminicídios da Cidade do México. Agradeço também à advogada Andrea Medina pelos comentários e sugestões. Agradeço, sobretudo, à jornalista Daniela Rea, que levou o nome de minha irmã para a marcha do Dia Internacional da Mulher no dia 8 de março de 2021.

O designer gráfico Raúl Espino Madrigal projetou, com base na letra de minha irmã, o tipo de letra que serviu para transcrever as cartas, notas e mensagens que aparecem neste livro.

Na página 9, o verso ["aqui, sob este galho, podes falar de amor"] é do poema "Límite", de Rosario Castellanos. Na página 153, a letra "Lucha de gigantes / convierte / el aire en gas natural. / Un duelo salvaje / advierte / lo cerca que ando de entrar. / En un mundo descomunal / siento mi fragilidad" pertence à música "Lucha de gigantes", de Nacha Pop. Na página 100, os versos "Si tuviera ilusiones / si existieran razones locuras pasiones / no habría necesidad / de pasarme por horas / bebiendo cantimploras / de esta gris soledad" pertencem à música "Distante instante", de Rodrigo González. Na página 167, a frase "E por acaso isso não é a felicidade?", que tirei diretamente de uma carta que Lili escreveu a Ana Ocadiz, também pertence a Jin Shengtan, letrado chinês da dinastia Ming.

Este livro foi composto com tipografia Adobe Garamond Pro e impresso em papel Off-White 80 g/m² na Formato Artes Gráficas.